令和7年版

司法書士

合格ゾーン

ポケット判

択一過去問肢集

5 会社法・商法

JN111864

はしがき

＜本書のねらい＞

　資格試験における短期合格の鉄則は、試験の出題傾向に合致した学習をすることです。司法書士試験もその例外ではありません。その意味で本試験に過去出題された問題は、試験合格のための参考資料の宝の山といえます。合理的学習の第一歩として、頻出とされる知識を「繰り返し」学習することにより、その出題内容と内容の深さの程度や、出題傾向を把握することが重要となります。本書は今後出題されることが予想される重要な過去問を選び出し掲載することにより、「繰り返し」学習を効率的に行うことが可能となっています。

＜本書の特長＞

(1)　膨大な過去問から本当に必要な知識を厳選し、体系別又は条文順に配列し直して掲載しました。また解答を導き出すのに必要な知識を解説部分にコンパクトにまとめて掲載しました。

(2)　令和7年4月1日時点で施行が確実な法令に合わせて解説の改訂をしており、法改正により影響を受ける問題については、同日施行予定の法令で解けるよう過去問を編集し掲載しています。

(3)　問題ごとに過去問の番号を付しました。また、同系統の問題は代表的なものを掲載し、過去問の番号を連記しました。

(4)　左頁に問題を、右頁に解答・解説を掲載しているので、解いた問題をすばやくチェックできます。それにより、弱点を早く発見でき効率的な総復習に役立ちます。

(5)　あらゆるところに持ち運びができ、通勤通学の電車の中

など、コマギレの時間を有効活用できるよう、コンパクトな
B6判で刊行しました。

＜本書掲載の問題を解くにあたって＞

⑴　平成13年の商業登記法改正により、登記を申請する場合に
おいて添付すべき書面については、従来の書面として作成さ
れたもののほかに、会社が書面に代わり電磁的記録をもって
作成した場合には、当該電磁的記録をもって代用できること
になりました。しかし、登記を申請する場合に問題となるの
は、当該登記の申請書に添付すべき書面が添付されているか
否かであって、作成されたものが書面であるか、又は電磁的
記録であるかは問題とならないため、本書では原則的に従来
どおりの記載をもって対応することにしました。

　　したがって、本書の過去問を解くにあたっては、記載され
た問題文の内容に基づいて、解答を出すことになります。

⑵　平成16年の不動産登記法改正に伴う商業登記法及び規則
の改正により、出頭による申請に加えて、オンライン又は郵
送による登記申請等が可能になりました。

　　しかし、オンライン申請制度は従来の書面申請制度を無効
にするものではなく、書面申請制度と併存するものであり、
本試験も書面申請手続を前提として出題されているため、本
書では原則的にオンライン申請手続に関する変更を加えてい
ません。

　　以上により、本書の問題を解くときは、オンライン申請に
ついては考慮せずに、解答を導き出してください。

⑶　問題文では、会社法上で規定された定義語をそのまま使用
しています。

⑷　本書においては、「募集株式」に自己株式の処分は含まれ
ないことを前提に出題しています。

(5)　会社法309条は、株主総会の決議要件を定めています。本書では、その決議要件を以下のように分類して出題しています。

- 普通決議→定款に別段の定めがある場合を除き、議決権を行使することができる株主の議決権の過半数を有する株主が出席し（定足数）、出席した当該株主の議決権の過半数をもって行われる決議
- 特別決議→議決権を行使することができる株主の議決権の過半数（3分の1以上の割合を定款で定めた場合にあっては、その割合以上）を有する株主が出席し（定足数）、出席株主の議決権の3分の2以上（これを上回る割合を定款で定めた場合にあっては、その割合）に当たる多数をもって行われなければならない決議

(6)　平成26年会社法改正により、過去の本試験問題も影響を受けることになりますが、以下の方針に沿って改題を行うことによって、可能な限り問題を成立させました。本書の主な改題方針は、以下のとおりです。

①　監査等委員会設置会社制度の創設のため、本書では、機関設計の相違によって問題の正誤が変わってくるものについては、「監査等委員会設置会社を除く。」などの旨を特別に明示しています。

②　委員会設置会社の改名のため、「委員会設置会社」を「指名委員会等設置会社」に置き換えています。

③　責任限定契約（定款に定めることにより事前に役員等の会社に対する責任の限度額を限定する内容の契約をいう。）を締結できる範囲が、業務執行取締役等以外の取締役、（社内）監査役まで拡大されたことを前提に出題しています。

　　現行法に対応させるため、改題した問題が非常に多いことから、解説にその理由及び箇所を掲載することを省略し

ています。

(7)　令和元年の会社法の一部を改正する法律等の施行に伴う関係法律の整備等に関する法律の施行に伴い、過去の本試験問題も影響を受けることになりました。

　　本書では、新法に沿った改題を行い、可能な限り問題を成立させています。

(8)　問題文に明記されている場合を除き、定款に法令の規定と異なる別段の定めがないものとして出題しています。

　なお、さらに実践力を磨きたい方には、ＬＥＣの「精撰答練」の利用をおすすめします。質の高い予想問題を解くことで、さらなるレベルアップを図ることができます。

　司法書士試験合格を目指し勉学に励んでいる多くの方々が、本書を有効に活用することで1年でも早く合格されることを願います。

　2024年7月吉日

　　　　　　　　　　株式会社　東京リーガルマインド
　　　　　　　　　　ＬＥＣ総合研究所　司法書士試験部

本書の効果的利用法

左ページ

問題

学習項目を表示。

❶ 計算書類等

001

株式会社の計算書類等が書面をもって作成

会社の親会社社員は、当該株式会社の営業

その請求の理由を明らかにして、当該株式

の交付の請求をすることができる。

時間のない直前期に絶対に押さえてほしい問題をマーキング！

002 □□□ 平21-30-イ

会計監査人設置会社においては、各事業年度に係る計算書類及び事業報告並びにこれらの附属明細書は、会計監査人の監査を受け

本書は、択一式試験問題を各選択肢ごとに掲載し、過去の本試験の出題実績は下記のように表記しています（法改正等により、問題として成立しなくなったものについては掲載していません）。
【例】平21-30-ウ → 平成21年本試験において、問30のウ肢として出題。

平21-30-ウ

て作成されている場合、株主は、株式会社の営業時間内は、いつでも、計算書類又は計算書類の写しの閲覧の請求をすることができる。

004 □□□ 平21-30-エ

監査役会設置会社において、取締役は、取締役会の承認を受けて定時株主総会に提出され、又は提供された事業報告の内容を定時株主総会に報告しなければならない。

「正解チェック欄」をつけました。直前期の総復習に、有効活用してください。

解答・解説

合格ゾーンテキスト**6**
第5編 第1章

株式会社の計算等

❶ 計算書類等

× 001

株主及び債権者は、株　　　　　　　　　　　　　　　該株
式会社の計算書類の閲　　出題知識の確認ができる　　　が
（442Ⅲ② · ①）、当該　　よう「司法書士合格ゾー　　るに
は、裁判所の許可を得る　ンテキスト」のリンク先
　　　　　　　　　　　　を記載しています。

× 002

会計監査人設置会社においては、各事業年度に係る計算書類及び
その附属明細書は、監査役（監査等委員会設置会社にあっては監
査等委員　　　　　　　　　　　　　　　　　　　　　　　及び
会計監査　　問題を解く前に解答・解説が見え　　れに
対し、各　　ないようにしたい方は、本書には　　査役
（監査等　　さみ込まれた「解答かくしシート」　　会等
設置会社　　をご利用ください。　　　　　　　　　ない
が、会計　　　　　　　　　　　　　　　　　　　　）。

○ 003

株主及び債権者は、株式会社の営業時間内は、いつでも、当該株
式会社の計算書類又は計算書類の写しの閲覧の請求をすることが
できる（442Ⅲ①）。

○ 004

取締役は、取締役会の承認を受けて定時株主総会に提出され、又
は提供された事業報告の内容を定時株主総会に報告しなければな
らな　　　　　　　　　　　　　　　　　　　　　　　
　　　ポイントを集約した解説。
　　　また、解説の重要なキー
　　　ワードは青文字で強調し
　　　ています。

CONTENTS

第4編　機関

第5編　株式会社の計算等

第6編　事業譲渡

第11編　社債

第12編　組織再編

第13編　訴訟

第14編　会社法総則・商法総則、商行為

第1編

はじめに

① 会社法・商法の基礎知識

会社の種類

法人は、合同会社の社員になることができるが、合名会社及び合資会社の無限責任社員になることはできない。

はじめに

❶ 会社法・商法の基礎知識

× 001

法人は、有限責任社員のみならず、無限責任社員にもなることができる（平18.3.31民商782号第4部第2.1（3）、598参照）。

❷ 株式会社の分類

大会社と大会社以外

大会社（清算株式会社を除く。）でない株式会社が事業年度の途中において募集株式を発行したことによって資本金の額が5億円以上となった場合には、当該株式会社は、資本金の額が5億円以上となった時から大会社となる。

✕ **002**

事業年度の途中に資本金の額に変動が生じても、その時点で大会社になったり大会社でなくなったりすることはなく、それぞれの事業年度末日において大会社に該当するか否かを判断し、当該事業年度に係る定時株主総会において、大会社又は大会社でない会社になることとなる（2⑥参照）。

第2編

株式

❶ 株式の内容と株式の種類

取得条項付株式

001 □□□
平19-29-ウ

株式会社が取得条項付株式の取得をした場合、取得対価が当該株式会社の株式以外の財産であれば、発行済株式総数は減少する。

002 □□□
平19-30-ウ

取得条項付株式を募集する場合も、取得条項付新株予約権を募集する場合も、その株式又は新株予約権の内容が定款で定められる必要がある。

003 □□□
平20-30-イ

会社が取得条項付株式を取得する場合において、一定の事由が生じた日における分配可能額を超えて当該株式の取得と引換えに財産の交付をしたときは、当該財産の交付に関する職務を行った取締役又は執行役は、当該会社に対し、交付した財産の帳簿価額に相当する金銭を支払う義務を負う。

004 □□□
平20-30-ア

会社が全部の株式の内容として、当該株式について、当該会社が一定の事由が生じたことを条件としてこれを取得することができることを定めた場合においては、一定の事由が生じた日に当該株式を会社に取得される株主は、その対価として当該会社の他の株式の交付を受けることはできない。

× 001

株式会社が取得条項付株式を取得しても、取得された株式は自己株式となる（155①・107Ⅱ③イ）だけであるため、取得対価の内容にかかわらず、発行済株式総数が減少することはない。

× 002

取得条項付株式の内容は定款で定めなければならないとされているが（107Ⅱ③）、取得条項付新株予約権の内容を定款で定めなければならないとする規定はない（236Ⅰ⑦参照）。

× 003

株式会社が取得条項付株式を取得するのと引換えに財産の交付をする場合において、一定の事由が生じた日における分配可能額（461Ⅱ）を超えているときは、当該取得は効力を生じない（170Ⅴ・107Ⅱ③）。そして、この場合に職務を執行した取締役又は執行役が金銭支払義務を負う旨の規定は存在しない（461・462参照）。

○ 004

株式会社がその発行する全部の株式の内容として、当該株式について、当該株式会社が一定の事由が生じたことを条件としてこれを取得することができることを定める場合、取得する株式の対価として定めることができるのは、社債、新株予約権、新株予約権付社債又は株式等以外の財産である（107Ⅱ③ニ～ト）。

異なる種類の株式

会社法上の公開会社は、ある種類の株式の種類株主を構成員とする種類株主総会において取締役を選任することを内容とする種類株式を発行することができない。

会社が異なる2以上の種類の株式を発行する場合において、1の種類の株式の種類株主について剰余金の配当を受ける権利を与えない旨の定款の定めを設けることはできない。

株主に剰余金の配当を受ける権利及び残余財産の分配を受ける権利の全部を与えない旨の定款の定めは、その効力を有しない。

A種類株式とB種類株式の2種類の種類株式を発行する旨を定めている株式会社が現にA種類株式を4万株発行している場合において、A種類株式の発行可能種類株式総数を6万株から3万株に減少させる旨の定款の変更をすることはできない。

○ 005

指名委員会等設置会社及び会社法上の公開会社は、ある種類の株式の種類株主を構成員とする種類株主総会において取締役（監査等委員会設置会社にあっては、監査等委員である取締役又はそれ以外の取締役。）又は監査役を選任することを内容とする種類株式（108Ⅰ⑨）を発行することが**できない**（108Ⅰ但書）。

× 006

株主は、その有する株式につき、①剰余金の配当を受ける権利、②残余財産の分配を受ける権利、③株主総会における議決権を有し（105Ⅰ）、株主に①及び②の権利の全部を与えない旨の定款の定めは、その効力を有しない（105Ⅱ）。しかし、①及び②のうち、一方の権利が完全に与えられない株式であっても、**他方の権利が与えられる**ものであるならば、そのような定款の定めは認められる。

× 007

株主に、剰余金の配当を受ける権利及び残余財産の分配を受ける権利の全部を与えない旨の定款の定めは、**その効力を有しない**（105Ⅱ・Ⅰ①・②）。

○ 008

定款を変更してある種類の株式の発行可能種類株式総数を減少するときは、変更後の当該種類の株式の発行可能種類株式総数は、当該定款の変更が効力を生じた時における当該種類の発行済株式の総数を下ることが**できない**（114Ⅰ）。

Ａ種類株式とＢ種類株式の２種類の種類株式を発行する旨を定め
ている株式会社が会社法上の公開会社である場合には、Ａ種類株
式についてのみ、その種類株主が株主総会における議決権を有し
ないものとすることはできない。

会社法上の公開会社でない取締役会設置会社において、会社は、
株主総会における議決権について、株主ごとに異なる取扱いを行
う旨を定款で定めることができる。

Ａ種類株式とＢ種類株式の２種類の種類株式を発行する旨を定め
ている株式会社において、譲渡制限株式ではないＡ種類株式を譲
渡制限株式にするための定款変更をするには、株主総会の特殊決
議（原則として、株主総会において議決権を行使することができ
る株主の半数以上であって、当該株主の議決権の３分の２以上に
当たる多数をもって行う決議）を要する。

会社法上の公開会社でない株式会社が株主総会の議決権について
株主ごとに異なる取扱いを行う旨を定款で定めた場合には、各株
主が有している株式の内容を登記しなければならない。

✕ 009

株式会社は、会社法上の公開会社であっても、株主総会において議決権を行使することができる事項について異なる定めをした内容の異なる2以上の種類の株式を発行することができる（108Ⅰ③・108Ⅰ但書参照）。

○ 010

会社法上の公開会社でない株式会社は、①剰余金の配当を受ける権利、②残余財産の分配を受ける権利、③株主総会における議決権について、株主ごとに異なる取扱いを行う旨を定款で定めることができる（109Ⅱ・105Ⅰ各号）。

✕ 011

種類株式発行会社における、ある種類の株式につき譲渡制限株式を置くための定款変更は、株主総会の特別決議（309Ⅱ⑪）及び当該種類株式の株主による種類株主総会における特殊決議（111Ⅱ①・324Ⅲ①）による。

✕ 012

会社法上の公開会社でない株式会社が株主ごとに異なる取扱いを行う旨を定款で定めた場合（109Ⅱ）には、911条3項は適用されず、株式の内容として登記することはできない（109Ⅲ）。

❷ 株式譲渡

株式譲渡

013 □□□   平25-29-オ

株券発行会社が自己株式の処分により株式を譲渡する場合には、当該自己株式に係る株券を交付しなくても、その効力が生ずるが、株券発行会社である親会社に係る親会社株式の処分により株式を譲渡する場合には、当該親会社株式に係る株券を交付しなければ、その効力は生じない。

株式譲渡に制限がかかる場合

014 □□□   平30-28-ウ

譲渡による株式の取得について取締役会の承認を要する旨の定款の定めを設けている取締役会設置会社において、株券が発行されている譲渡制限株式を取得した者は、株式会社に対し、当該株券を提示して、当該譲渡制限株式を取得したことについて承認するか否かを決定することを単独で請求することができる。

015 □□□   平30-28-イ

譲渡による株式の取得について取締役会の承認を要する旨の定款の定めを設けている取締役会設置会社にあっては、株主が譲渡制限株式を株式会社の株主でない者に対して譲渡した場合において、当該譲渡制限株式の譲渡人以外の株主全員が当該譲渡を承認していたときは、当該譲渡は、取締役会の承認がないときであっても、当該株式会社に対する関係においても有効である。

○ **013**

株券発行会社が自己株式の処分により株式を譲渡する場合には、当該自己株式に係る株券を交付しなくても、その効力が生ずる（128但書）。他方、株券発行会社である親会社に係る親会社株式の処分により株式を譲渡する場合には、当該親会社株式に係る株券を交付しなければ、その効力を生じない（128本文）。

○ **014**

現に株券を発行している株券発行会社の譲渡制限株式を取得した株式取得者は、譲渡に係る株券を提示して、単独で、当該株式会社に対して、当該譲渡制限株式を取得したことについて承認をするか否かの決定をすることを請求することができる（137Ⅰ・Ⅱ、会社施規24Ⅱ①）。

○ **015**

株式譲渡の譲渡人以外の株主全員が当該譲渡による取得を承認していた場合は、取締役会による承認がなくとも、当該譲渡は当該株式会社との関係でも有効である（最判平9.3.27）。

株式

❷ 株式譲渡

016 平26-29-エ

譲渡制限株式の株主が会社法第136条の規定による請求をし、会社が同条の承認をしない旨の決定をするときには、会社又は指定買取人が当該譲渡制限株式を買い取ることを併せて請求した場合において、会社が同条の承認をしない旨の決定をしたときに、会社が指定買取人を指定するには、株主総会の特別決議（取締役会設置会社にあっては、取締役会の決議）によらなければならない。

017 平30-28-エ

譲渡による株式の取得について取締役会の承認を要する旨の定款の定めを設けている取締役会設置会社において、取締役会が譲渡制限株式の取得について承認をしない旨の決定をし、株式会社が当該譲渡制限株式を買い取らなければならないときは、当該譲渡制限株式を買い取る旨及び当該株式会社が買い取る当該譲渡制限株式の数を取締役会の決議によって定めなければならない。

018 平26-29-ウ

譲渡制限株式の株主が会社法第136条の規定による請求をし、会社が同条の承認をしない旨の決定をするときには、会社又は指定買取人が当該譲渡制限株式を買い取ることを併せて請求した場合において、会社が同条の承認をしない旨の決定をしたときに、会社が当該譲渡制限株式の全部を買い取る旨の決定をし、当該株主に対し会社法所定の事項を通知したときは、当該株主は、当該通知があった日から20日以内に、裁判所に対し、売買価格の決定の申立てをすることができる。

16 LEC東京リーガルマインド　令和7年版　司法書士合格ゾーンポケット判択一過去問肢集
⑤ 会社法・商法

○ **016**

株式会社は、株主から、譲渡制限株式の譲渡等の承認をしないときの当該株式の買取請求を受けた場合において、当該譲渡等の承認をしない旨の決定をしたときは、指定買取人を指定することができる（140Ⅳ・Ⅰ）。そして、当該指定買取人の指定は、株主総会の特別決議（取締役会設置会社にあっては、取締役会の決議）によらなければならない（140Ⅴ本文・309Ⅱ①）。

× **017**

株式会社が、譲渡等承認請求に係る譲渡制限株式を買い取る場合は、対象株式を買い取る旨及び株式会社が買い取る対象株式の数（種類株式発行会社にあっては、対象株式の種類及び種類ごとの数）を定めなければならず、その決定は、株主総会の特別決議によらなければならない（140Ⅱ・Ⅰ各号・309Ⅱ①）。

○ **018**

株式会社による買取りの通知があった場合には、対象株式の売買価格は、原則として、株式会社と譲渡等承認請求者との協議によって定める（144Ⅰ・141Ⅰ）。そして、株式会社又は譲渡等承認請求者は、当該買い取る旨の通知があった日から20日以内に、裁判所に対し、売買価格の決定の申立てをすることができる（144Ⅱ・141Ⅰ）。

株式

❷ 株式譲渡

譲渡制限株式の株主が会社法第136条の規定による請求をし、会社が同条の承認をしない旨の決定をするときには、会社又は指定買取人が当該譲渡制限株式を買い取ることを併せて請求した場合において、会社は同条の承認をしない旨の決定をし、指定買取人を指定したときは、当該株主に対し、その旨及び指定買取人が買い取る当該譲渡制限株式の数を通知しなければならない。

譲渡制限株式の株主が会社法第136条の規定による請求をし、会社が同条の承認をしない旨の決定をするときには、会社又は指定買取人が当該譲渡制限株式を買い取ることを併せて請求した場合において、会社が同条の承認をしない旨の決定をしたときに、会社が当該譲渡制限株式の全部を買い取る旨の決定をし、当該株主に対し会社法所定の事項を通知しようとするときは、会社は、1株当たり純資産額に会社が買い取る当該譲渡制限株式の数を乗じて得た額をその本店の所在地の供託所に供託しなければならない。

✕ 019

株式会社は、株主から、譲渡制限株式の譲渡等の承認をしないときの当該株式の買取請求を受けた場合において、当該譲渡等の承認をしない旨の決定をしたときは、指定買取人を指定することができる（140Ⅳ・Ⅰ）。そして、指定買取人は、譲渡等承認請求者に対し、指定買取人として指定を受けた旨及び指定買取人が買い取る対象株式の数（種類株式発行会社にあっては、対象株式の種類及び種類ごとの数）を通知しなければならない（142Ⅰ・140Ⅳ）。

○ 020

株式会社が譲渡制限株式について譲渡を承認しない旨の決定をした場合において、当該株式を買い取る旨の決定をしたときは、譲渡等承認請求者に対し、対象株式を買い取る旨等を通知しなければならない（141Ⅰ・140Ⅰ各号）。そして、株式会社は当該通知をしようとするときは、1株当たり純資産額に株式会社が買い取る対象株式の数を乗じて得た額をその本店の所在地の供託所に供託し、かつ、当該供託を証する書面を譲渡等承認請求者に交付しなければならない（141Ⅱ、会社施規25）。

譲渡制限株式の株主が会社法第136条の規定による請求をし、会
社が同条の承認をしない旨の決定をするときには、会社又は指定
買取人が当該譲渡制限株式を買い取ることを併せて請求した場合
において、会社が同条の承認をしない旨の決定をしたときに、会
社が当該譲渡制限株式の全部を買い取る旨の決定をし、当該株主
に対し会社法所定の事項を通知した場合でも、当該株主は、その
売買代金を受領するまでは、会社の承諾を得ることなく、会社又
は指定買取人が当該譲渡制限株式を買い取ることの請求を撤回す
ることができる。

株式の内容として譲渡制限の定めを設ける定款の変更をする際の
株式買取請求に係る株式の価格の決定について、当該定款の変更
の効力発生日から30日以内に株主と会社との間に協議が調わない
場合において、当該効力発生日から60日以内に裁判所に対する価
格の決定の申立てがないときは、その期間の満了後は、当該株主は、
いつでも、当該株式買取請求を撤回することができる。

会社法上の公開会社でない株式会社においては、相続により株式
を取得した者も、会社に対し、その取得の承認を請求しなければ
ならない。

✕ **021**

株式会社が対象株式を買い取る旨の請求をした譲渡等承認請求者は、株式会社による買取りの通知を受けた後は、株式会社の承諾を得た場合に限り、その請求を撤回することができる（143Ⅰ・138①ハ・141Ⅰ）。

○ **022**

その発行する全部の株式の内容として株式の譲渡制限に関する規定についての定め（107Ⅰ①）を設ける定款の変更をする場合における株式買取請求（116Ⅰ①）に係る株式の価格の決定について、効力発生日から30日以内に協議が調わないときは、株主又は株式会社は、その期間の満了の日後30日以内に、裁判所に対し、価格の決定の申立てをすることができる（117Ⅱ）。そして、この場合において、効力発生日から60日以内に当該申立てがないときは、その期間の満了後は、株主は、いつでも、株式買取請求を撤回することができる（117Ⅲ）。

✕ **023**

相続や会社の合併により株式を取得した場合には、譲渡制限の適用はない（137参照）。

株式会社は、相当の時期に自己株式を処分することを要しないが、相当の時期にその有する親会社株式を処分しなければならない。

株式会社による自己の株式の取得

株式会社が当該株式会社の株式の取得により株主に対して交付する金銭の総額はその取得が効力を生ずる日における分配可能額を超えてはならず、また、当該株式会社が当該株式会社の新株予約権の取得により新株予約権者に対して交付する金銭の総額もその取得が効力を生ずる日における分配可能額を超えてはならない。

株式会社が、株主との合意により当該株式会社の株式を有償で取得する場合には、株主総会の決議によらなければならず、また、新株予約権者との合意により当該株式会社の新株予約権を有償で取得する場合にも、株主総会の決議によらなければならない。

特別支配株主による売渡請求

会社以外の法人や自然人であっても、特別支配株主として株式等売渡請求をすることができる。

○ **024**

子会社は、原則として、親会社株式を取得してはならないが（135Ⅰ）、親会社株式を取得した場合には、子会社は、相当の時期にその有する親会社株式を処分しなければならない（135Ⅲ）。

× **025**

株式会社は、自己株式を有償で取得する場合において、株主に対して金銭を交付するときは、当該行為がその効力を生ずる日における分配可能額を超えてはならない（461Ⅰ）。これに対して、自己新株予約権の取得については、このような財源規制は存在しない。

× **026**

新株予約権者との合意により当該株式会社の新株予約権を有償で取得する場合は、業務執行の一環として、自己新株予約権を取得することができるため、株主総会の決議による必要はない（156Ⅰ参照）。

○ **027**

株式等売渡請求をすることができる特別支配株主は、会社には限定されず、会社以外の法人や自然人であってもよい（179Ⅰ本文参照）。

028 □□□

会社は、当該会社が発行済株式の全部を保有する株式会社が有するものと併せると、対象会社の総株主の議決権の10分の9以上を有することとなる場合には、特別支配株主として株式等売渡請求をすることができる。

029 □□□

売渡株主は、株式売渡請求が法令に違反する場合には、特別支配株主に対し、対象会社の株式のうち当該売渡株主が保有するものに限り、その取得をやめることを請求することができる。

特別支配株主は、単独の株主によって総株主の議決権の10分の9以上の要件を満たすことが原則であるが、特別支配株主完全子法人が有している対象会社の株式を合算して、10分の9以上の要件を満たす場合も、当該株主は、対象会社の特別支配株主となる（179Ⅰ本文括弧書）。

株式売渡請求が法令に違反する場合において、売渡株主が不利益を受けるおそれがあるときは、売渡株主は、特別支配株主に対し、株式等売渡請求に係る売渡株式等の全部の取得をやめることを請求することができる（179の7Ⅰ①）。

株式

❷ 株式譲渡

❸ 自己株式の消却

030 ☐☐☐

株式会社は、自己株式については相当の時期に処分しなければならないが、自己新株予約権については相当の時期に処分することを要しない。

031 ☐☐☐ 平21-28-ア

取締役会設置会社が株式の消却又は併合をするときは、株主総会の決議によらなければならないが、株式の分割又は株式無償割当てをするときは、取締役会の決議によって、これを行うことができる。

032 ☐☐☐ 平29-29-3

株式会社が、自己株式を消却した場合には資本金の額も減少するが、自己新株予約権を消却した場合には資本金の額は減少しない。

×　030

株式会社の自己株式や自己新株予約権の保有期間については、会社法上の制限はないため、相当の時期に自己株式や自己新株予約権を処分することを要しない。

×　031

株式の併合をするときは、取締役会設置会社であるか否かを問わず、株主総会の決議によらなければならず（180Ⅱ・309Ⅱ④）、取締役会設置会社が株式の分割又は株式無償割当てをするときは、取締役会の決議により、これを行うことができる（183Ⅱ括弧書・186Ⅲ括弧書）。しかし、株式の消却は取締役会設置会社においては取締役会の決議による（178Ⅱ）。

×　032

資本金の額と株式数の関係は切断されているため、自己株式の消却（178）によって発行済株式総数が減少したとしても、資本金の額は減少しない。また、株式会社は、自己新株予約権を消却することができるが（276）、当該消却に伴い資本金の額が減少する旨の規定は会社法上存在しない。

株式

❸ 自己株式の消却

4 株式の分割

033 □□□ 平18-30-エ

Ａ種類株式とＢ種類株式の２種類の種類株式を発行する旨を定め
ている株式会社において、Ａ種類株式を株式分割の対象とせず、Ｂ
種類株式のみを１対２の割合で株式分割をすることも可能である。

034 □□□ 平20-31-ウ

株式会社が株式の分割をする場合において、株式買取請求をする
ことが認められるときがある。

035 □□□ 平21-28-イ

Ａ種類株式とＢ種類株式を発行する旨を定款で定めている種類株
式発行会社は、株式無償割当てによってＡ種類株式を有する株主
にＢ種類株式の割当てをすることはできるが、株式の分割によって
Ａ種類株式を有する株主にＢ種類株式を取得させることはできな
い。

036 □□□ 平21-28-エ

株式の併合又は分割をする場合には、効力を生ずる日の２週間前
までに、株主及び登録株式質権者に対し、株式の併合又は分割を
するに当たり定めた事項を通知し、又は公告をしなければならな
い。

○ **033**

株式の分割をしようとする株式会社が種類株式発行会社である場合は、株式の分割は、分割する株式の種類ごとにする（183Ⅱ③）。

○ **034**

株式の分割をする場合において、ある種類の株式（322Ⅱの規定による定款の定めがあるものに限る。）を有する種類株主に損害を及ぼすおそれがあるときに、反対株主が、株式会社に対し、自己の有する当該各号に定める株式を公正な価格で買い取ることを請求することができる（116Ⅰ③イ）。

○ **035**

株式無償割当てについては、他の種類の株式を交付することができるが、株式の分割については、同一の種類の株式の数が増加する。

× **036**

株式会社は、株式の併合がその効力を生ずる日の2週間前までに、株主及びその登録株式質権者に対し、株式の併合をするに当たり定めた事項を通知し、又は公告をしなければならない（181Ⅰ・Ⅱ）。一方、株式の分割については、株式の分割をするに当たり定めた事項を通知し、又は公告しなければならない旨の規定は存しない。

株式

❹ 株式の分割

種類株式発行会社が株式の分割をする場合には、分割する株式の
種類ごとに分割する割合を異なるものとすることができる。

株式会社が株式の分割をする場合には、株主の有する株式と異な
る種類の株式を当該株主に取得させることができる。

現に2以上の種類の株式を発行している株式会社であっても、株
式の分割をする場合には、株主総会の決議によらないで、発行可
能株式総数を増加する定款の変更をすることができる。

○ **037**

数種の株式の分割をする場合には、異なる種類にまたがる株式の分割はすることができず、分割する種類ごとに株式の分割の手続をとることになるので、分割する株式の種類ごとに分割する割合を異なるものとすることが**できる**（183Ⅱ①・③）。

× **038**

株式の分割は、同一の種類の株式の数を増加させる制度であるため、株式会社が株式の分割をする場合に、株主の有する株式と異なる種類の株式を当該株主に取得させることは**できない**（183・184参照）。

× **039**

株式会社（現に2以上の種類の株式を発行しているものを除く。）が株式の分割をするに際し、当該株式の分割の効力発生日における発行可能株式総数をその日の前日の発行可能株式総数に分割の割合を乗じて得た数の範囲内で増加する定款の変更をする場合には、当該定款の変更は、株主総会の決議によらないで行うことが**できる**（184Ⅱ・183Ⅱ①・②）。

❺ 株式の無償割当て

040 ☐☐☐
平18-28-エ

株式の無償割当てをする場合には、当該無償割当ての対象となる株式の価額の2分の1に相当する額の資本金を増加させなければならない。

041 ☐☐☐
平31-28-1

株式会社が株式無償割当てをする場合には、自己株式を有する当該株式会社に対しても株式を割り当てることができる。

042 ☐☐☐
平31-28-3

株式会社が株式無償割当てをする場合には、当該株式会社の株主に対し交付しなければならない当該株式会社の株式の数に1株に満たない端数が生ずることがある。

043 ☐☐☐
平31-28-5

株式会社が株式無償割当てをする場合には、資本金の額が増加する。

044 ☐☐☐
平21-28-ウ

株式の分割は自己株式についてすることができるが、株式無償割当ては自己株式についてすることができない。

32　LEC東京リーガルマインド　令和7年版　司法書士合格ゾーンポケット判択一過去問肢集
❺ 会社法・商法

×　040

株式会社は、設立又は株式の発行に際して株主となる者が、当該株式会社に対して払込み又は給付した財産の額の2分の1以上を資本金として計上しなくてはならない（445Ⅰ・Ⅱ）。しかし、株式の無償割当て（185）を行う際に、当該株式会社は、資本金の額を増加させる必要はない。

×　041

株式会社が株式無償割当てをする場合には、当該株式会社の有する自己株式に対しては株式を割り当てることができない（186Ⅱ参照）。

○　042

株式会社が株式無償割当てをする場合には、当該株式会社の株主に対し交付しなければならない当該株式会社の株式の数に1株に満たない端数が生ずることがある（234Ⅰ③・185参照）。

×　043

株式無償割当てとは、株式会社が、株主（種類株式発行会社にあっては、ある種類の種類株主）に対して新たに払込みをさせないで当該株式会社の株式の割当てをすることであり、株式会社が株式無償割当てをする場合には、出資は生じないので、資本金の額は増加しない（185、会社計規25Ⅰ参照）。

○　044

株式の分割については、自己株式の数も増加するが、株式無償割当てについては、自己株式に割当ては生じない（184・186参照）。

株式

❺　株式の無償割当て

045 □□□ 　　　　　　　　　　　　　　　　　　平28-29-ア

株式会社（種類株式発行会社を除く。）が定款を変更して単元株式数を減少するには、株主総会の決議によらなければならない。

046 □□□ 　　　　　　　　　　　　　　　　　　令6-29-オ

取締役会設置会社は、取締役会の決議によって、定款を変更して単元株式数を減少することができる。

047 □□□ 　　　　　　　　　　　　　　　　　　平28-29-イ

単元未満株式の買取りの請求に応じて行う株式会社の当該単元未満株式の買取りにより株主に対して交付する金銭の額は、当該買取りがその効力を生ずる日における分配可能額を超えてはならない。

048 □□□ 　　　　　　　　　　　　　　　　　　平28-29-ウ

単元未満株式のみを有する株主に対しては、株主総会の招集の通知を発する必要がない。

× : 045

株式会社は、その成立後、株主総会の決議によって、定款を変更することができる（466）。しかし、株式会社は、当該規定にかかわらず、**取締役の決定**（取締役会設置会社にあっては、**取締役会の決議**）によって、定款を変更して単元株式数を減少し、又は単元株式数についての定款の定めを廃止することができる（195Ⅰ）。

○ : 046

株式会社は、会社法466条の規定にかかわらず、取締役の決定（取締役会設置会社にあっては、取締役会の決議）によって、定款を変更して単元株式数を減少し、又は単元株式数についての定款の定めを廃止することが**できる**（195Ⅰ）。

× : 047

単元未満株主は、株式会社に対し、自己の有する単元未満株式を買い取ることを請求することができる（192Ⅰ）。この点、単元未満株式の買取請求については、財源規制の**適用はない**（461Ⅰ参照）。

○ : 048

完全無議決権株式や単元未満株式を有する株主等、株主総会において決議をすることができる事項の全部につき議決権を行使することができない株主に対して、当該通知をする**必要はない**（298Ⅱ括弧書）。

株式　6 単元株式数

株式会社は、単元未満株主が単元未満株式について残余財産の分配を受ける権利を行使することができない旨を定款で定めることができる。

単元株式数に満たない数の株式を有する株主は、定款の定めがない場合であっても、株式会社に対し、当該株主が保有する単元未満株式の数と併せて単元株式数となる数の株式を当該株主に売り渡すことを請求することができる。

✕ 049

株式会社は、単元未満株主が当該単元未満株式について一定の権利の全部又は一部を行使することができない旨を定款で定めることができる（189Ⅱ）。しかし、単元未満株主が残余財産の分配を受ける権利を定款によって制限することはできない（189Ⅱ⑤）。

✕ 050

株式会社は、単元未満株主が当該株式会社に対して単元未満株式売渡請求（単元未満株主が有する単元未満株式の数と併せて単元株式数となる数の株式を当該単元未満株主に売り渡すことを請求することをいう。）をすることができる旨を定款で定めることができる（194Ⅰ）。この点、単元未満株主が売渡請求をするためには、当該定款の定めがなければならない。

❼ 募集株式の発行等

051 □□□   平11-32-オ（令2-33-ウ）改題

複数の会社による合同発行は、株式については認められていない。

発行決議

052 □□□   令2-28-ア

会社法上の公開会社がその発行する株式を引き受ける者の募集に
おいて株主に株式の割当てを受ける権利を与える場合には、募集
株式の払込金額が募集株式を引き受ける者に特に有利な金額であ
るときであっても、株主総会の特別決議を経る必要はない。

053 □□□   平20-29-オ

会社法上の公開会社と公開会社でない株式会社のいずれにおいて
も、募集株式の発行に係る募集事項の決定を株主総会で行う場合
において、当該募集株式の払込金額が募集株式を引き受ける者に
特に有利な金額であるときは、取締役は、当該株主総会において、
当該払込金額でその者の募集をすることを必要とする理由を説明
しなければならない。

054 □□□   平25-28-イ

会社法上の公開会社における募集株式の発行において、株主に株
式の割当てを受ける権利を与える場合であっても、その払込金額
が当該株式の時価よりも相当程度低い金額であるときは、取締役
は、株主総会において、当該払込金額でその者の募集をすること
を必要とする理由を説明しなければならない。

株式

〇 **051**

複数の会社による合同発行は、株式については認められていない（199参照）。

〇 **052**

株主に株式の割当てを受ける権利を与えて募集株式の発行をする場合には、当該株主総会の特別決議を経ることを要しない（201Ⅰ・199Ⅱ・Ⅲ・309Ⅱ⑤参照）。

〇 **053**

会社法上の公開会社であるか否かにかかわらず、募集株式の払込金額（199Ⅰ②）が募集株式を引き受ける者に特に有利な金額である場合には、取締役は、募集事項の決定をする株主総会において、当該払込金額でその者の募集をすることを必要とする理由を説明しなければならない（199Ⅲ・Ⅱ）。

✕ **054**

募集株式の発行に際して、株主に株式の割当てを受ける権利を与える場合においては、その払込金額が当該株式の時価より相当程度低い金額であっても、取締役は、株主総会において、当該払込金額でその者の募集をすることを必要とする理由を説明することを要しない（202Ⅴによる199Ⅲの適用除外）。

⑦ 募集株式の発行等

会社法上の公開会社がその発行する株式を引き受ける者の募集に
おいて株主に株式の割当てを受ける権利を与えた場合において、
株主が募集株式の引受けの申込みの期日までに募集株式の引受け
の申込みをしないときは、当該株主は、募集株式の割当てを受け
る権利を失う。

会社法上の公開会社と公開会社でない株式会社のいずれにおいて
も、株主に株式の割当てを受ける権利を与えてされる募集株式の
発行に際し、募集事項を取締役会の決議により定めることができ
る。

会社法上の公開会社における募集株式の発行において、会社が譲
渡制限株式である募集株式の引受けの申込みをした者の中から当
該募集株式の割当てを受ける者を定める場合には、その決定は、
取締役会の決議によらなければならない。

○ | **055**

株式会社が、株主に株式の割当てを受ける権利を与えて募集株式の発行をする場合、株主が募集株式の引受けの申込みの期日までに募集株式の引受けの申込みをしないときは、当該株主は、募集株式の割当てを受ける権利を失う（204Ⅳ・202Ⅰ②・203Ⅱ）。

× | **056**

会社法上の公開会社において、株主割当により募集株式の発行をする場合、定款に別段の定めがあるときを除き、募集事項の決定は、取締役会の決議によって定めなければならない（202Ⅲ③）。一方、会社法上の公開会社でない株式会社においては、定款に別段の定めがある場合を除いて、株主総会の決議によって定めなければならない（202Ⅲ④）。

○ | **057**

会社法上の公開会社において、譲渡制限株式である募集株式の引受けの申込みをした者の中から当該募集株式の割当てを受ける者を定める決定は、定款に別段の定めがある場合を除いて、取締役会の決議によらなければならない（204Ⅱ・327Ⅰ①）。

株主への通知等

058 □□□　　　　　　　　　　　　　　　　　　　　平25-28-ア

会社法上の公開会社における募集株式の発行において、会社は、取締役会の決議によって募集事項を定めた場合（株主に株式の割当てを受ける権利を与える場合を除く。）には、募集事項において定められた払込期日の2週間前までに、当該募集事項を公告し、かつ、株主に対し、各別にこれを通知しなければならない。

割当て

059 □□□　　　　　　　　　　　　　　　　　　　　令2-28-ウ

募集株式の引受人Aがその引き受けた募集株式の株主となった場合に有することとなる議決権の数が、当該募集株式の引受人の全員がその引き受けた募集株式の株主となった場合における総株主の議決権の数の2分の1を超える場合には、会社法上の公開会社は、株主総会の特別決議によってAに対する募集株式の割当ての承認を受けなければならない。

× 058

会社法上の公開会社が、取締役会の決議によって募集事項を定めたときは、払込期日（払込期間を定めた場合には、払込期間の初日）の2週間前までに、当該募集事項を、株主に通知又は公告しなければならない（201Ⅲ・Ⅳ）。

× 059

本肢の場合であっても、株式会社の財産の状況が著しく悪化している場合において、当該株式会社の事業の継続のため緊急の必要があるときは、株主総会の決議によってAに対する募集株式の割当ての承認を受けることを要しない（206の2Ⅳ但書）。また、株主総会の決議によってAに対する募集株式の割当ての承認を要するとしても、特別決議が必要となるわけではない（206の2Ⅳ本文・Ⅴ・Ⅰ～Ⅲ・205Ⅰ、会社施規42の3・42の4）。

060 □□□

平19-30-オ

取締役会設置会社以外の株式会社においては、募集株式が譲渡制限株式である場合に申込者の中からその割当てを受ける者を決定することも、募集新株予約権の目的である株式が譲渡制限株式である場合に申込者の中からその割当てを受ける者を決定することも、定款に別段の定めがある場合を除き、株主総会の決議によらなければならない。

検査役の調査

061 □□□
平19-30-ア（令3-29-5）

募集株式の引受人が金銭以外の財産を出資の目的とする場合においては、当該財産の価額に関して、裁判所の選任に係る検査役の調査を受ける必要があるときがあるが、新株予約権者が株式会社の承諾を得て募集新株予約権と引換えにする金銭の払込みに代えて金銭以外の財産を給付する場合には、そのような検査役の調査を受ける必要はない。

出資の履行等

062 □□□
平23-28-イ（平11-32-ウ、令2-33-エ）改題

募集株式の引受人は、出資の履行をする債務と会社に対する債権とを相殺することができない。

○ **060**

募集株式が譲渡制限株式である場合、申込者の中から募集株式の割当てを受ける者の決定は、定款に別段の定めがある場合を除き、株主総会（取締役会設置会社にあっては、取締役会）の決議によらなければならない（204Ⅱ）。また、募集新株予約権の目的である株式の全部又は一部が譲渡制限株式である場合に申込者の中から募集新株予約権の割当てを受ける者の決定は、定款に別段の定めがある場合を除き、株主総会（取締役会設置会社にあっては、取締役会）の決議によらなければならない（243Ⅱ①）。

○ **061**

募集株式の引受人が金銭以外の財産を出資の目的とする場合（199Ⅰ③）、原則として、検査役の調査を受けることを要するが（207参照）、募集新株予約権と引換えにする金銭の払込みに代えて金銭以外の財産を給付する場合には、検査役の調査を受けることを要する旨の規定はない。

○ **062**

募集株式の引受人は、出資の履行をする債務と株式会社に対する債権とを相殺することができない（208Ⅲ）。

063 □□□ 令2-28-エ

募集株式と引換えにする現物出資財産の給付の期間を定めた場合において、募集株式の引受人が当該期間内に現物出資財産の給付をしたときは、当該引受人は、当該期間の末日に株主となる。

064 □□□ 平11-35-ウ（平2-29-5、令2-33-イ）

設立後の募集株式の発行においては、発行予定株式の総数の引受け及び払込みがなくても、その引受け及び払込みの限度で効力が認められる。

065 □□□ 令2-33-オ

株式会社は、募集株式について、数回に分けて金銭の払込みをさせる旨及び各払込みの期日における払込金額を定めることができる。

066 □□□ 平25-28-オ

会社法上の公開会社における募集株式の発行において、募集株式の引受人は、出資の履行をした募集株式の株主となった日から1年を経過した後は、その株式について権利を行使していない場合であっても、錯誤を理由として募集株式の引受けの取消しを主張することができない。

× **063**

募集株式の引受人は、募集事項において、募集株式と引換えにする金銭の払込み又は現物出資財産の給付の期間を定めた場合は出資の履行をした日に、出資の履行をした募集株式の株主となる（209Ⅰ②・199Ⅰ④）。

○ **064**

設立後の募集株式の発行においては、資金調達の便宜から、株主総会（会社法上の公開会社にあっては取締役会）の定める募集株式の数の全部について引受けが確定していなくても、引受け及び払込み又は給付のあった限度で効力が生ずる（208Ⅴ）。

× **065**

募集株式については、数回に分けて金銭の払込みをさせる旨及び各払込の期日における払込金額を定めることができる旨の規定は存しない（199Ⅰ参照）。

○ **066**

株主となった日から1年を経過した後又はその株式について権利を行使した後は、錯誤を理由として募集株式の引受けの取消しを主張することができない（211Ⅱ）。

会社法上の公開会社における募集株式の発行において、募集株式の引受人の給付した現物出資財産の価額がこれについて募集事項として定められた価額に著しく不足する場合には、当該定められた価額の決定に関する取締役会に議案を提案した取締役は、裁判所の選任した検査役の調査を経たときであっても、会社に対し、その不足額を支払う義務を負う。

募集株式の引受人が払込金額の払込みを仮装した場合には、当該募集株式の譲受人が当該払込みが仮装されたことを知らず、かつ、そのことに重大な過失がないときであっても、当該引受人が払込みを仮装した払込金額の全額の支払をした後でなければ、当該譲受人は、当該募集株式についての株主の権利を行使することができない。

× 067

募集株式の引受人の給付した現物出資財産の価額がこれについて募集事項として定められた価額に著しく不足する場合には、当該価額の決定に関する取締役会に議案を提案した取締役は、会社に対し、その不足額を支払う義務を負う（213Ⅰ③）。しかし、当該現物出資財産の価額について、裁判所が選任した検査役の調査を経たときは、価額の決定に関する取締役会に議案を提案した取締役は、その不足額を支払う義務を負わない（213Ⅱ①・207Ⅱ）。

× 068

募集株式の引受人は、払込金額の払込みを仮装した場合、株式会社に対し、払込みを仮装した払込金額の全額の支払をする義務を負う（213の2Ⅰ①・208Ⅰ）。そして、当該引受人は、当該支払がされた後でなければ、出資の履行を仮装した募集株式について、株主の権利を行使することができない（209Ⅱ・213の3Ⅰ）。しかし、当該募集株式を譲り受けた者は、悪意又は重大な過失があるときを除き、当該募集株式についての株主の権利を行使することができる（209Ⅲ・Ⅱ）。

069 ☐☐☐ 　　　　　　　　　　　　　　　　　平23-28-ウ改題

２以上の種類の株式を発行する会社は、定款で特定の種類の株式のみに係る株券を発行するものと定めることができない。

070 ☐☐☐ 　　　　　　　　　　　　　　　　　平23-28-ア改題

株式は、株主名簿に株主の氏名又は名称及び住所が記載され、又は記録される記名式のものに限られる。

071 ☐☐☐ 　　　　　　　　　　　　　　　　　令4-28-ア

株券発行会社において、譲渡による株式の取得について当該株券発行会社の承認を要することを定めた場合には、株券にその旨を記載しなければならない。

072 ☐☐☐ 　　　　　　　　　　　　　　　　　平23-28-エ改題

株式会社は、定款で株主名簿管理人を定め、株主名簿に関する事務を行うことを委託することができる。

073 ☐☐☐ 　　　　　　　　　　　　　　　　　平27-28-エ

株式会社が一の株主名簿管理人に対し株主名簿に関する事務を委託した場合において、当該株式会社が新たに新株予約権を発行したときは、当該株主名簿管理人は、当該新株予約権に係る新株予約権原簿に関する事務を行わなければならない。

○ **069**

種類株式発行会社においては、一部の種類の株式についてのみ株券を発行する旨の定めを置くことはできない（214）。

○ **070**

株式会社は、株主名簿を作成し、これに株主の氏名又は名称及び住所を記載し、又は記録しなければならない（121①）。

○ **071**

株券発行会社は、譲渡による当該株券に係る株式の取得について株式会社の承認を要することを定めたときは、株券にその旨を記載しなければならない（216③）。

○ **072**

株式会社は、株主名簿管理人を置く旨を定款で定め、当該事務を行うことを委託することができる（123）。

○ **073**

株式会社は、株主名簿管理人を置く旨を定款で定め、当該事務を行うことを委託することができる（123）。そして、新株予約権を発行する株式会社の株主名簿管理人は、株主名簿のみならず、新株予約権原簿に関する事務も併せて行わなければならない（251・123）。

株式

❽ 株券・株主名簿

株式会社は、基準日を定めて、当該基準日において株主名簿に記載されている株主を株主総会における議決権を行使することができる者と定めた場合であっても、当該基準日後に募集株式を発行したときは、当該基準日後にその株式を取得した者の全部を当該議決権を行使することができる者と定めることができる。

株券発行会社の株主は、当該株券発行会社が現に株券を発行しているかどうかを問わず、当該株券発行会社に対し、当該株主についての株主名簿に記載された株主名簿記載事項を記載した書面の交付を請求することができない。

株式の譲渡を受けた者は、株主名簿の名義書換を受けなければ、会社に対して株主であることを主張することができない。

株券の交付を受けた者は、悪意又は重大な過失がある場合を除き、当該株券に係る株式についての権利を取得する。

074

基準日株主が行使することができる権利が株主総会又は種類株主総会における議決権である場合には、株式会社は、当該株式の基準日株主の権利を害するときを除いて、当該基準日後に株式を取得した者の全部又は一部を当該権利を行使することができる者と定めることができる（124Ⅳ）。

075

株主名簿に記載のある株主は、株式会社に対し、当該株主についての株主名簿に記載され、若しくは記録された株主名簿記載事項を記載した書面の交付又は当該株主名簿記載事項を記録した電磁的記録の提供を請求することができる（122Ⅰ）。しかし、株券発行会社においては、当該請求をすることができない（122Ⅳ）。

076

株式の譲渡は、株式会社との関係においては、株主名簿に記載し、又は記録しなければ、対抗することができない（130Ⅰ）。

077

株券の交付を受けた者は、悪意又は重大な過失があるときを除き、当該株券に係る株式についての権利を取得する（131Ⅱ）。

株式

❽ 株券・株主名簿

株式を譲り受けた株式取得者が株式会社に対し株主名簿の名義書換の請求をした場合において、当該株式会社の過失により名義書換が行われなかったときは、当該株式会社は、株主名簿の名義書換がないことを理由として、当該株式の譲渡を否定することができない。

株券発行会社の株式の相続による移転は、当該株式に係る株券を交付しなければ、その効力を生じない。

会社法上の公開会社である株券発行会社の株主は、当該株券発行会社に対し、当該株主の有する株式に係る株券の所持を希望しない旨を申し出ることができない。

株券発行会社の株式の質入れは、当該株式に係る株券を交付しなくても、当事者間の合意によりその効力を生ずる。

○ 078

株式の譲渡は、その株式を取得した者の氏名又は名称及び住所を株主名簿に記載し、又は記録しなければ、株式会社に対抗することができない（130）。しかし、株式譲受人から名義書換請求があったのにもかかわらず、会社が過失によってその書換をしなかったときには、その書換のないことを理由として株式の譲渡を否認することができず（大判昭3.7.6）、このような場合には、会社は株式譲受人を株主として取り扱わなければならない（最判昭41.7.28）。

× 079

株券発行会社の株式の譲渡は、当該株式に係る株券を交付しなければ、その効力を生じない（128Ⅰ参照）。しかし、相続等の一般承継の場合、株式の譲渡には該当せず、それぞれの効力発生時（相続においては被相続人の死亡）に権利移転の効力が当然に生ずる。

× 080

株券発行会社の株主は、当該株券発行会社に対し、当該株主の有する株式に係る株券の所持を希望しない旨を申し出ることができる（217Ⅰ）。この点、当該株券発行会社は、会社法上の公開会社か否かを問わない。

× 081

株券発行会社の株式の質入れは、当該株式に係る株券を交付しなければ、その効力を生じない（146Ⅱ）。

株式

❽ 株券・株主名簿

082 ☐☐☐   平19-29-ア

会社法上の公開会社においては、発行済株式総数は、発行可能株式総数の4分の1を下回ってはならない。

083 ☐☐☐   平20-29-ア

会社法上の公開会社と公開会社でない株式会社のいずれにおいても、定款を変更して発行可能株式総数を増加する場合には、変更後の発行可能株式総数は、当該定款の変更が効力を生じた時における発行済株式の総数の4倍を超えることができない。

× 082

例えば、自己株式の消却をする場合、発行可能株式総数が発行済株式の総数の４倍を超えることについては規制されていない（113Ⅲ参照）。

× 083

会社法上の公開会社が定款を変更して発行可能株式総数を増加する場合には、変更後の発行可能株式総数は、当該定款の変更が効力を生じた時における発行済株式の総数の４倍を超えることができない（113Ⅲ①）。一方、会社法上の公開会社でない場合は、定款の変更が効力を生じた時における発行済株式の総数の４倍を超えることができる（113Ⅲ①参照）。

株式

❾ 発行可能株式総数

084 □□□ 　　　　　　　　　　　　　　　平26-28-ア

共同相続人が株式を相続により共有するに至った場合において、共同相続人は、その全員の同意がなければ、当該株式についての権利を行使する者を定めることができない。

085 □□□ 　　　　　　　　　　　　　　　平26-28-イ

共同相続人が株式を相続により共有するに至った場合において、共同相続人が当該株式についての権利を行使する者一人を定め、その者の氏名を会社に通知したときは、その者は、ある事項について共同相続人の間に意見の相違があっても、自己の判断に基づき、株主総会において議決権を行使することができる。

086 □□□ 　　　　　　　　　　　　　　　平26-28-ウ

共同相続人が株式を相続により共有するに至った場合において、共同相続人の一人は、当該株式についての権利を行使する者としての指定を受けていなくても、決議の存否に利害関係を有しこれを争う利益があるときは、特段の事情がない限り、株主総会決議不存在確認の訴えにつき原告適格を有する。

087 □□□ 　　　　　　　　　　　　　　　平26-28-エ

共同相続人が株式を相続により共有するに至った場合において、共同相続人が当該株式についての権利を行使する者を定めていない場合において、共同相続人全員が株主総会における議決権を共同して行使するときは、会社の側からその議決権の行使を認めることができる。

× 084

共有株式については、共有者は株主の権利を行使すべき者を定めなければならないが（106本文）、当該共有者の中から権利行使者を定めるに当たっては、共有物の管理行為として、各共有者の持分の価格に従い、その過半数をもってこれを決することができる（最判平9.1.28）。

○ 085

株式の権利を行使する者を定めた場合、当該権利行使者は、共同相続人の意思に拘束されず自己の判断に基づき権利を行使することができる（最判昭53.4.14）。

× 086

共同相続人が準共有株主としての地位に基づいて株主総会の決議不存在確認の訴えを提起する場合、権利行使者としての指定を受けてその旨を会社に通知していないときは、特段の事情がない限り、原告適格を有しない（最判平2.12.4）。

○ 087

共同相続人が当該株式についての権利を行使する者を定めていない場合において、共同相続人全員が株主総会における議決権を共同して行使するときは、会社の側からその議決権の行使を認めることができる（最判平11.12.14）。

株式

⑩ 株式の共有

共同相続人が株式を相続により共有するに至った場合において、
当該共同相続人が未成年の子とその親権者であるときは、親権者
が未成年の子を代理して当該株式についての権利を行使する者を
定める行為は、その者を親権者自身と定めるときであっても、利
益相反行為には当たらない。

質権設定

株式会社は、他の会社から、発行済株式の総数の20分の1を超え
る数の自己の株式について質権の設定を受けることができないが、
親会社株式について質権の設定を受けることはできる。

○ **088**

共有株式については、共有者は株主の権利を行使すべき者を定めなければならず（106本文）、当該株式が未成年の子とその親権者を含む数人の共有に属する場合において、親権者が未成年の子を代理して当該株式の権利を行使する者を指定する行為は、当該親権者自身を指定する場合であっても、利益相反行為（民826）には当たらない（最判昭52.11.8）。

× **089**

株式会社が、自己株式について質権の設定を受けることについては、会社法上特別な規定はない。また、親会社株式に質権を設定することについても、これを制限する規定はない。

第3編

新株予約権

1 新株予約権の発行・行使

譲渡による株式の取得について株式会社の承認を要することは、株式の内容として株式会社の登記事項となり、また、譲渡による新株予約権の取得について株式会社の承認を要することは、新株予約権の内容として株式会社の登記事項となる。

自己株式を処分する場合には募集事項を決定しなければならないが、自己新株予約権を処分する場合には募集事項を決定することを要しない。

新株予約権が行使されても、発行済株式総数が増加しない場合がある。

新株予約権者が株式会社の承諾を得て募集新株予約権と引換えにする金銭の払込みに代えて金銭以外の財産を給付する場合には、裁判所の選任に係る検査役の調査を受ける必要はない。

会社法上の公開会社である株式会社が新株予約権を引き受ける者の募集をしようとする場合において、株主に新株予約権の割当てを受ける権利を与えるときは、当該募集新株予約権の引受けの申込みの期日は、株主総会の決議によって定めなければならない。

×　001

「発行する株式の内容」が登記事項とされているため（911Ⅲ⑦）、株式の譲渡制限に関する規定は登記事項となるが、新株予約権の譲渡制限に関する規定は登記事項とされていない（911Ⅲ⑫参照）。

○　002

新株予約権の募集事項の決定（238）にかかる手続は、新株予約権を新たに発行する場合にのみ適用され、自己新株予約権の処分の場合には適用されない。

○　003

新株予約権が行使された場合、株式会社は常に新しく株式を発行しなければならないのではなく（236Ⅰ⑤参照）、自己株式を交付してもよい。そして、この場合は、発行済株式総数は増加しない。

○　004

募集新株予約権と引換えにする金銭の払込みに代えて金銭以外の財産を給付する場合には、検査役の調査を受けることを要する旨の規定はない。

×　005

会社法上の公開会社が新株予約権を引き受ける者の募集をしようとする場合において、株主に新株予約権の割当てを受ける権利を与えるときは、当該募集新株予約権の引受けの申込みの期日は、取締役会の決議によって定めなければならない（241Ⅲ③・Ⅰ②）。

新株予約権

❶ 新株予約権の発行・行使

募集新株予約権に係る新株予約権者は、株式会社の承諾を得て、当該募集新株予約権の払込金額の払込みに代えて、当該株式会社に対する債権をもって相殺することができる。

株主に募集新株予約権の割当てを受ける権利を与える場合において、割当てを受ける募集新株予約権の数に一に満たない端数が生ずるときは、当該端数は切り捨てられ、株主は、当該端数について募集新株予約権の割当てを受ける権利を有しない。

会社法上の公開会社において、募集新株予約権の行使に際して出資される財産の価額が当該募集新株予約権を引き受ける者に特に有利な金額である場合には、当該募集新株予約権に関する募集事項の決定は、株主総会の特別決議によらなければならない。なお、金融商品取引法第2条第16項に規定する金融商品取引所に上場されている株式を発行している株式会社については考慮しないものとする。

募集新株予約権の引受人は、募集新株予約権の払込金額の全額の払込みを待たず、割当日に募集新株予約権の新株予約権者となる。

○ 006

募集新株予約権に係る新株予約権者は、株式会社の承諾を得て、当該募集新株予約権の払込金額の払込みに代えて、当該株式会社に対する債権をもって相殺することが**できる**（246Ⅱ）。

○ 007

株主に新株予約権の割当てを受ける権利を与える場合において、株主（当該株式会社を除く。）は、その有する株式の数に応じて募集新株予約権の割当てを受ける権利を有する（241Ⅱ本文）。ただし、当該株主が割当てを受ける募集新株予約権の数に一に満たない端数があるときは、これを**切り捨てる**ものとする（241Ⅱ但書・Ⅰ）。

× 008

新株予約権の募集事項は、会社法上の公開会社においては原則として取締役会が決定する（238Ⅱ・240Ⅰ）。ただし、特に有利な条件又は特に有利な払込金額で新株予約権を発行する場合には、株主総会の特別決議が必要となる（238Ⅱ・Ⅲ・240Ⅰ・309Ⅱ⑥）。しかし、新株予約権の「行使」については、このような**規定は存在しない**（238Ⅲ参照）。

○ 009

募集新株予約権における申込者、及び募集新株予約権の総数を引き受けた者は、**割当日**に、株式会社の割り当てた募集新株予約権、又はその者が引き受けた募集新株予約権の**新株予約権者となる**（245Ⅰ）。

新株予約権

❶ 新株予約権の発行・行使

募集新株予約権の発行が法令若しくは定款に違反する場合又は著しく不公正な方法により行われる場合において、株主及び新株予約権者が不利益を受けるおそれがあるときは、株主及び新株予約権者は、株式会社に対し、当該募集新株予約権の発行の差止めを求める訴えを提起することができる。

募集新株予約権を引き受けようとする者がその総数の引受けを行う契約を締結して当該募集新株予約権が発行された場合において、当該募集新株予約権の発行が法令又は定款に違反し、株主が不利益を受けるおそれがあるときは、株主は、当該募集新株予約権の新株予約権者に対し、会社法上、当該募集新株予約権の行使をやめることを請求することができる。なお、金融商品取引法第2条第16項に規定する金融商品取引所に上場されている株式を発行している株式会社については考慮しないものとする。

二以上の者の共有に属する新株予約権についての権利を行使する者の指定及び株式会社に対する通知を欠く場合において、当該新株予約権の共有者が当該権利を行使することに株式会社が同意していないときであっても、当該共有者は、新株予約権原簿の名義書換請求をすることができる。なお、金融商品取引法第2条第16項に規定する金融商品取引所に上場されている株式を発行している株式会社については考慮しないものとする。

× **010**

一定要件のもと、株主は、株式会社に対し、募集新株予約権の発行をやめることを請求することができる。出訴権者は株主であり、新株予約権者ではない（247）。

× **011**

①新株予約権の発行が法令又は定款に違反する場合、又は②新株予約権の発行が著しく不公正な方法により行われる場合において、株主が不利益を受けるおそれがあるときは、株主は、株式会社に対し、新株予約権の発行をやめることを請求することができる（247各号）。しかし、新株予約権の「行使」については、このような規定は存在しない（247参照）。

× **012**

新株予約権が2以上の者の共有に属するときは、共有者は、当該新株予約権についての権利を行使する者一人を定め、株式会社に対し、その者の氏名又は名称を通知しなければ、株式会社が当該権利を行使することに同意した場合を除き、当該新株予約権についての権利を行使することができない（237）。

013 □□□ 平24-29-ア

株式会社は、新株予約権を引き受ける者の募集をしようとする場合には、募集事項として、募集新株予約権と引換えに金銭の払込みを要しないこととする旨を定めることはできない。

014 □□□ 平30-29-ア

株式会社は、その発行する新株予約権を引き受ける者の募集をしようとするときは、募集新株予約権の内容として、その行使に際して出資を要しない旨を定めることができない。なお、金融商品取引法第2条第16項に規定する金融商品取引所に上場されている株式を発行している株式会社については考慮しないものとする。

015 □□□ 平24-29-エ

取締役会設置会社にあっては、発行をしようとする募集新株予約権の目的である株式の一部が譲渡制限株式であるときは、募集新株予約権の引受けの申込みをした者の中から募集新株予約権の割当てを受ける者を定め、及びその者に割り当てる募集新株予約権の数を定める決定は、取締役会の決議によらなければならない。

016 □□□ 令3-29-1

株式会社が自己の新株予約権を取得した場合には、当該新株予約権は、当該株式会社がこれを取得した時に、消滅する。

017 □□□ 平23-29-イ

新株予約権無償割当てにおいて、新たに発行する新株予約権と自己新株予約権とを混在させて割り当てることはできない。

× **013**

株式会社は、新株予約権を引き受ける者の募集をしようとする場合には、募集事項として、募集新株予約権と引換えに金銭の払込みを要しないこととする旨を定めることができる（238Ⅰ②）。

○ **014**

株式会社が新株予約権を発行するときは、当該新株予約権の内容として、当該新株予約権の行使に際して出資される財産の価額又はその算定方法を定めなければならない（236Ⅰ②）。この点、新株予約権の行使に際して出資を要しない旨を定めることはできない。

○ **015**

募集新株予約権の目的である株式の全部又は一部が譲渡制限株式である場合には、株式会社は、定款に別段の定めがある場合を除き、株主総会（取締役会設置会社にあっては、取締役会）の決議によって、募集新株予約権の引受けの申込者の中から募集新株予約権の割当てを受ける者を定め、かつ、その者に割り当てる募集新株予約権の数を定めなければならない（243Ⅱ①）。

× **016**

自己新株予約権は、株式会社が自己新株予約権の消却の手続を執ることによって消滅するのであり（276Ⅰ参照）、株式会社が自己新株予約権を取得した時に当然に消滅するものではない。

○ **017**

新株予約権無償割当て（277）をする場合、新たに新株予約権を発行するか、既発行の自己新株予約権を交付するかのいずれかであり、両者を混在させることはできない。

新株予約権

❶ 新株予約権の発行・行使

自己新株予約権の処分は、会社法所定の募集新株予約権の発行と
同様の手続によらなければならない。

株式会社が募集新株予約権の発行手続により新株予約権を発行し
た場合には、資本金の額は増加しない。

株式会社が、その保有する自己新株予約権を処分することは、通常の資産の売却と同様であるから、会社法上、手続規制が存しない。

株式会社が募集新株予約権の発行手続により新株予約権を発行した場合であっても、資本金の額が増加することはない。

新株予約権

1 新株予約権の発行・行使

❷ その他

020 ☐☐☐ 　　　　　　　　　　　　　　　　　　平22-33-ア

株式会社がある種類の株式の内容として譲渡による取得について
当該株式会社の承認を要することについての定款の定めを設ける
定款の変更をする場合、当該種類の株式を目的とする新株予約権
の新株予約権者は、当該株式会社に対し、その新株予約権を公正
な価格で買い取ることを請求することができる。

021 ☐☐☐ 　　　　　　　　　　　　　　平23-29-ア（令3-29-3）

譲渡制限新株予約権の譲渡等承認請求について、会社が承認をし
ない場合には、当該会社又は指定買取人が当該新株予約権を買い
取らなければならない。

○ 020

ある種類の株式の内容として譲渡制限株式又は全部取得条項付種類株式についての定款の定めを設ける定款の変更については、当該種類の株式を目的とする新株予約権の新株予約権者は、株式会社に対し、新株予約権買取請求をすることが**できる**（118Ⅰ②）。

× 021

譲渡制限新株予約権の新株予約権者が、当該株式会社又は指定買取人に対して、譲渡制限新株予約権を買い取ることを請求することができる旨の規定は存しない。

新株予約権

❷ その他

第4編

機関

1 総説

001 □□□ 平28-30-ウ

会社法上の公開会社でない大会社は、取締役会を置かなければならない。

002 □□□ 平28-30-エ

会社法上の公開会社であり、かつ、大会社である会計参与設置会社は、監査役会を置かなければならない。

003 □□□ 令6-31-ウ

監査役会設置会社においては、監査役は、3人以上で、そのうち3分の2以上は、社外監査役でなければならない。

✕ 001

大会社であっても、会社法上の公開会社、監査役会設置会社、監査等委員会設置会社又は指名委員会等設置会社に該当しない場合には、取締役会を置くことを要しない（327Ⅰ各号）。

✕ 002

会社法上の公開会社であり、かつ、大会社であっても、監査等委員会設置会社及び指名委員会等設置会社は、監査役を置いてはならないため（327Ⅳ）、監査役会を置くことができない（328Ⅰ括弧書）。

✕ 003

監査役会設置会社においては、監査役は、3人以上で、そのうち半数以上は、社外監査役でなければならない（335Ⅲ）。

機関

❶ 総説

❷ 株主総会

招集

004 □□□   平20-32-エ（令5-30-エ）

会社法上の公開会社でない取締役会設置会社において、株主は、総株主の議決権の100分の1以上の議決権又は300個以上の議決権を有しない場合であっても、取締役に対し、株主総会の日の8週間前までに、株主総会の目的である事項につき当該株主が提出しようとする議案の要領を株主に通知することを請求することができる。

005 □□□   令5-30-イ

会社法上の公開会社において、総株主の議決権の100分の1以上の議決権又は300個以上の議決権を6か月前から引き続き有する株主は、株主総会の日の8週間前までに、取締役に対し、当該株主が議決権を行使することができる一定の事項を株主総会の目的とすることを請求することができる。

006 □□□   令5-30-ウ

会社法上の公開会社において、総株主の議決権の100分の1以上の議決権及び300個以上の議決権のいずれも有しない株主は、株主総会において、株主総会の目的である事項であって当該株主が議決権を行使することができるものにつき議案を提出することができない。

✕ 004

株主は、取締役に対し、株主総会の目的である事項につき当該株主が提出しようとする議案の要領を株主に通知することを請求することができる（305Ⅰ）のが原則であるが、会社法上の公開会社でない取締役会設置会社においては、総株主の議決権の100分の1以上の議決権又は300個以上の議決権を有する株主に限り、当該請求をすることができる（305Ⅱ）。

◯ 005

会社法上の公開会社においては、総株主の議決権の100分の1以上の議決権又は300個以上の議決権を6か月前から引き続き有する株主に限り、取締役に対し、一定の事項を株主総会の目的とすることを請求することができる（303Ⅱ前段）。この場合において、その請求は、株主総会の日の8週間前までにしなければならない（303Ⅱ後段）。

✕ 006

株主は、原則として、株主総会において、株主総会の目的である事項（当該株主が議決権を行使することができる事項に限る。）につき議案を提出することができる（議案提案権304）。この点、当該議案提案権を行使する株主については、総株主の議決権の100分の1以上の議決権又は300個以上の議決権を有することを要しない（304参照）。

機関

❷ 株主総会

007 ☐☐☐

会社法上の公開会社において、総株主の議決権の100分の1以上の議決権及び300個以上の議決権のいずれも有しない株主は、株主総会の日の8週間前までに、取締役に対し、株主総会の目的である事項であって当該株主が議決権を行使することができるものにつき当該株主が提出しようとする議案のうち10を超えないものの要領を株主に通知することを請求することができる。

008 ☐☐☐

会社法上の公開会社でない株式会社において、総株主の議決権の100分の1以上の議決権を有する株主は、これを6か月前から引き続き有する場合に限り、株主総会に係る招集の手続及び決議の方法を調査させるため、当該株主総会に先立ち、裁判所に対し、検査役の選任の申立てをすることができる。

009 ☐☐☐

会社法上の公開会社でない取締役会設置会社において、総株主の議決権の100分の3以上の議決権を有する株主は、当該議決権を6か月前から引き続き有するものに限り、取締役に対し、株主総会の招集を請求することができる。

007

株主は、取締役に対し、株主総会の日の８週間前までに、株主総会の目的である事項につき当該株主が提出しようとする議案の要領を株主に通知することを請求することができる。ただし、取締役会設置会社においては、総株主の議決権の100分の１以上の議決権又は300個以上の議決権を６か月前から引き続き有する株主に限り、当該請求をすることができる（305Ⅰ）。

会社法上の公開会社でない取締役会設置会社において、株式会社又は総株主の議決権の100分の１以上の議決権を有する株主は、株主総会に係る招集の手続及び決議の方法を調査させるため、当該株主総会に先立ち、裁判所に対し、検査役の選任の申立てをすることができる（306Ⅱ・Ⅰ・298Ⅰ②）。他方、会社法上の公開会社においては、議決権の要件に加え、当該議決権を６か月前から引き続き有する株主に限り、当該株主総会に先立ち、裁判所に対し、検査役の選任の申立てをすることができる（306Ⅱ・Ⅰ）。したがって、会社法上の公開会社でない株式会社の株主においては、当該申立てをする場合に議決権を６か月前から引き続き有することを要しない。

009

会社法上の公開会社においては、総株主の議決権の100分の３以上の議決権を６か月前から引き続き有する株主は、取締役に対し、株主総会の招集を請求することができる（297Ⅰ）。しかし、会社法上の公開会社でない株式会社においては、保有期間の制限はない（297Ⅱ）。

機関

❷ 株主総会

公開会社でない取締役会設置会社において、定款で定めることにより、取締役が株主総会の日の3日前までに株主に対して株主総会の招集の通知を発しなければならないこととすることができる。

会社法上の公開会社でない取締役会設置会社においては、株主総会に出席しない株主が書面又は電磁的方法によって議決権を行使することができる旨を定めたかどうかを問わず、取締役は、株主総会の日の2週間前までに、株主に対して株主総会の招集の通知を発しなければならない。

株主総会は、株主の全員の同意がある場合には、株主総会に出席しない株主が書面によって議決権を行使することができる旨が定められているときであっても、招集の手続を経ることなく開催することができる。

会社法上の公開会社でない取締役会設置会社の場合、株主総会においてその続行について決議があったときには、取締役は、株主に対して改めて株主総会の招集の通知を発する必要はない。

会社法上の公開会社でない取締役会設置会社における株主総会の招集の通知は、口頭ですることができる。

× **010**

取締役会設置会社以外の株式会社においては、1週間を下回る期間を定款で定めることができる（299Ⅰ括弧書）。

× **011**

会社法上の公開会社でない株式会社において、株主総会に出席しない株主が書面又は電磁的方法によって議決権を行使することができる旨又は電子提供措置をとる旨（325の2）を定めた場合を除き、株主総会を招集するには、取締役は株主総会の日の1週間前までに、株主に対してその通知を発しなければならない（299Ⅰ・298Ⅰ③・④）。

× **012**

株主総会の招集の手続は、原則として、株主の全員の同意があれば省略することができるが（300本文・299）、株主総会に出席しない株主が書面又は電磁的方法によって議決権を行使することができる旨を定めた場合には、株主の全員の同意があっても、招集の手続を省略することはできない（300但書・298Ⅰ③・④）。

○ **013**

株主総会において延期又は続行について決議があった場合には、改めて株主総会の招集の通知を発することを要しない（317・298・299）。

× **014**

取締役が株主に対してする株主総会の招集通知は、株式会社が取締役会設置会社である場合には、書面でしなければならない（299Ⅱ各号・298Ⅰ③・④）。

機関

❷ 株主総会

会社法上の公開会社でない取締役会設置会社において、株主総会に出席しない株主が書面によって議決権を行使することができることとする旨を取締役会の決議により取締役が定めた場合において、書面により株主総会の招集通知を発するときは、その株主の数にかかわらず、その通知に際し、株主に株主総会参考書類及び議決権行使書面を交付しなければならない。

6か月前から継続して総株主の議決権の100分の3以上を有する会社法上の公開会社の株主が、株主総会の招集を請求した場合において、その請求の日から8週間以内の日を会日とする株主総会の招集がされないときは、当該株主は、裁判所の許可を得て、自ら株主総会を招集することができる。

会計参与設置会社である取締役会設置会社においては、取締役は、定時株主総会の招集の通知に際して、株主に対し、会計参与報告を提供しなければならない。

株主総会決議

株主総会の決議は、その効力を生じさせるために裁判所の認可を受けることを要しない。

○ **015**

取締役は、株主総会に出席しない株主が書面によって議決権を行使することができることとする旨（298 I ③）を定めた場合には、書面による株主総会の招集通知に際して、株主に対し、株主総会参考書類及び議決権行使書面を交付しなければならない（301 I）。これは株主の数とは関係がない。

○ **016**

会社法上の公開会社においては、株主が、株主総会の招集を請求した場合において、請求の日から8週間以内の日を会日とする株主総会の招集がされないときは、当該株主は、裁判所の許可を得て、自ら株主総会を招集することができる（297Ⅳ②）。

× **017**

定時株主総会の招集の通知に際して、株主に対し、会計参与報告を提供しなければならない旨の規定は存在しない（437参照）。

○ **018**

株主総会の決議は、その効力を生じさせるために裁判所の認可を受けることを要しない（309参照）。

機関

❷ 株主総会

会社は、その有する自己の株式については議決権を有しない。

株式会社は、定款の変更を目的とする株主総会の決議について、総株主の議決権の3分の1以上を有する株主が出席し、出席した当該株主の議決権の過半数をもって行うことができる旨を定款で定めることができる。

株式会社は、定款を変更する株主総会の決議について、当該株主総会において議決権を行使することができる株主の議決権の3分の1以上を有する株主が出席し、出席した当該株主の議決権の3分の2以上に当たる多数をもって行うこととする旨を定款で定めることができる。

株主総会において議決権を行使する株主の代理人の資格を当該株式会社の株主に制限する旨の定款の定めは無効である。

○ 019

株式会社は、その有する自己株式については議決権を有しない（308Ⅱ）。

× 020

定款の変更を目的とする株主総会の決議は、当該株主総会において議決権を行使することができる株主の議決権の過半数（3分の1以上の割合を定款で定めた場合にあっては、その割合以上）を有する株主が出席し、出席した当該株主の議決権の3分の2（これを上回る割合を定款で定めた場合にあっては、その割合）以上に当たる多数をもって行わなければならない（特別決議　309Ⅱ⑪）。

○ 021

定款を変更する株主総会の決議は、原則として、当該株主総会において議決権を行使することができる株主の議決権の過半数（3分の1以上の割合を定款で定めた場合にあっては、その割合以上）を有する株主が出席し、出席した当該株主の議決権の3分の2（これを上回る割合を定款で定めた場合にあっては、その割合）以上に当たる多数をもって行わなければならない（309Ⅱ⑪）。

× 022

株主は、代理人によってその議決権を行使することができる（310Ⅰ前段）。この点、議決権行使の代理人資格を株主に制限する旨の定款の定めも有効である（最判昭43.11.1）。

機関

❷ 株主総会

023 ▢▢▢

会社法上の公開会社でない取締役会設置会社において、株主が議決権を統一しないで行使する場合においては、当該株主は、株主総会の日の3日前までに、会社に対してその有する議決権を統一しないで行使する旨及びその理由を通知しなければならない。

024 ▢▢▢

株主総会において議決権を行使することができる株主の数が1000人以上である株式会社においては、株主総会を招集する場合には、当該株主総会に出席しない株主が電磁的方法によって議決権を行使することができる旨を定めなければならない。

025 ▢▢▢

株主が、書面による議決権行使の期限までに書面によって株主総会における議決権を行使した場合であっても、自ら当該株主総会に出席して議決権を行使したときは、書面による議決権の行使は、その効力を失う。

026 ▢▢▢

会社法上の公開会社でない取締役会設置会社の株主総会においては、取締役が当該株主総会に提出した資料を調査する者を選任する必要がある場合でも、その選任が株主総会の目的である事項として当該株主総会の招集の通知に記載されていないときは、その選任の決議をすることができない。

取締役会設置会社においては、その有する議決権を統一しないで
行使しようとする株主は、株主総会の日の3日前までに、取締役
会設置会社に対してその有する議決権を統一しないで行使する旨
及びその理由を通知しなければならない（313Ⅱ）。

× **024**

株主総会に出席しない株主が電磁的方法によって議決権を行使す
ることができることとする旨を定めなければならないという規定
は存在しない（298Ⅱ本文参照）。

○ **025**

書面による議決権の行使は、議決権行使書面に必要な事項を記載
し、法務省令で定める時までに当該記載をした議決権行使書面を
株式会社に提出して行う（311Ⅰ、会社施規69）。この点、議決
権行使書面を提出した株主も株主総会に出席することができ、そ
の場合は書面による議決権の行使は効力を失う。

× **026**

①株主総会に提出された資料等の調査をする者の選任（316Ⅰ）、
②株式会社の業務及び財産状況を調査する者の選任（316Ⅱ）、
③定時株主総会において会計監査人の出席を求める決議（398Ⅱ）
については、株主総会の目的である事項として定められていなく
ても、決議をすることができる（309Ⅴ但書）。

機
関

❷
株
主
総
会

監査役会設置会社において株主総会、取締役会及び監査役会の議事録が書面で作成されている場合に関し、監査役会設置会社の債権者が当該監査役会設置会社の株主総会の議事録の閲覧又は謄写の請求をするには、裁判所の許可を得ることを要しない。

監査役会設置会社において株主総会、取締役会及び監査役会の議事録が書面で作成されている場合に関し、監査役会設置会社の親会社社員が当該監査役会設置会社の株主総会の議事録の閲覧又は謄写の請求をするには、裁判所の許可を得ることを要する。

決議の瑕疵

株主は、他の株主に対する株主総会の招集手続の瑕疵を理由として、株主総会の決議の取消しの訴えを提起することはできない。

○ **027**

株主総会の議事については、法務省令で定めるところにより、議事録を作成しなければならない（318Ⅰ、会社施規72）。そして、株主及び債権者は、株式会社の営業時間内は、いつでも、①株主総会の議事録が書面をもって作成されているときは、当該書面又は当該書面の写しの閲覧又は謄写の請求、②株主総会の議事録が電磁的記録をもって作成されているときは、当該電磁的記録に記録された事項を法務省令で定める方法により表示したものの閲覧又は謄写の請求をすることができる（318Ⅳ各号・Ⅰ、会社施規226⑰）。この点、債権者が株主総会の議事録の閲覧の請求をするには、裁判所の許可を得ることを要しない。

○ **028**

株式会社の親会社社員は、その権利を行使するため必要があるときは、裁判所の許可を得て、①株主総会の議事録が書面をもって作成されているときは、当該書面又は当該書面の写しの閲覧又は謄写の請求、②株主総会の議事録が電磁的記録をもって作成されているときは、当該電磁的記録に記録された事項を法務省令で定める方法により表示したものの閲覧又は謄写の請求をすることができる（318Ⅳ各号・Ⅰ・Ⅴ、会社施規226⑰）。

× **029**

株主は、自己に関する招集手続に瑕疵がなくとも、他の株主に対する招集手続に瑕疵があるときは、株主総会決議取消しの訴えを提起することができる（最判昭42.9.28）。

機関

❷ 株主総会

株主総会の決議について特別の利害関係を有する者が議決権を行
使した場合には、株主は、株主総会の決議の方法が著しく不公正
であることを理由として、訴えをもって株主総会の決議の取消しを
請求することができる。

株主は、株主総会の決議の取消しの訴えを提起した場合において、
当該株主総会の決議の日から3か月が経過したときは、新たな取
消事由を追加主張することはできない。

株主総会の決議の方法が著しく不公正なときは、決議取消事由に該当する（831 I①）。しかし、特別利害関係人が議決権を行使した場合でも、直ちに著しく不公正な決議であるとはいえず、これにより著しく不当な決議がされたときに、決議取消事由に該当するにすぎない（831 I③）。

株主総会決議取消しの訴えは、当該決議の日から3か月以内に提起しなければならない（831 I）。そして、瑕疵ある決議の効力を早期に明確化するという趣旨から、同期間内に提起された訴訟において、期間経過後に新たな取消事由を追加主張することはできない（最判昭51.12.24）。

機関

❷ 株主総会

❸ 取締役

欠格事由

032 ☐☐☐　平3-34-3（平12-35-イ、平15-33-4、平22-29-イ）

会社法上の公開会社では、取締役の1名は株主である者から選任するものとすることは、定款をもって定めることができない。

033 ☐☐☐　平13-28-4（平18-31-ア）

未成年者は、株式会社における代表取締役になることはできないが、支配人になることはできる。

034 ☐☐☐　平22-29-ア

破産手続開始の決定を受けた者は、復権を得ない限り、取締役となることができない。

035 ☐☐☐　令4-31-ウ

成年被後見人及び被保佐人は、取締役となることができない。

036 ☐☐☐　平22-29-エ

持分会社は、当該持分会社の社員から取締役として職務を行うべき者を選任し、株式会社にその者の氏名及び住所を通知した場合であっても、当該株式会社の取締役となることができない。

037 ☐☐☐　平22-29-オ

会社法上の特別背任罪を犯し懲役に処せられた者は、取締役に就任しようとする日の3年前にその刑の執行を終えた場合であっても、取締役となることができない。

○ 032

会社法上の公開会社は、公開会社制度の理念から取締役に広く適材を求めるため、取締役が株主でなければならない旨を定款で定めることができない（331Ⅱ本文）。

✕ 033

未成年者は、代表取締役及び支配人のいずれにもなることができる（331Ⅰ・11参照、民102）。

✕ 034

破産手続開始の決定は、取締役の欠格事由とはされておらず（331Ⅰ参照）、このような者を選任するか否かは、株主総会の判断に委ねられている。

✕ 035

成年被後見人及び被保佐人も、取締役になることができる（331の2）。

○ 036

取締役は自然人に限られ、法人が、株式会社の取締役となることはできない（331Ⅰ①）。

✕ 037

会社法・一般法人法・金融取引法及び破産法等の倒産法制上の罪を犯し、刑に処せられ、その執行を終わり、又はその執行を受けることがなくなった日から2年を経過していれば、取締役となることができる（331Ⅰ③）。

機関

❸ 取締役

取締役の選任

038 ☐☐☐　　　　　　　　　　　平19-31-ア (平6-29-2、平8-31-1)

取締役を選任する株主総会の決議の定足数は、通常の普通決議とは異なり、定款の定めによっても、議決権を行使することができる株主の議決権の3分の1を下回ることとすることはできない。

取締役の退任

039 ☐☐☐　　　　　　　　　　　　　　　　　令2-29-エ

会社法上の公開会社ではない監査役設置会社においては、個々の取締役ごとに異なる任期を定めることはできない。

040 ☐☐☐　　　　　　　　　　　　　　　　　令2-29-オ

会社法上の公開会社である監査役設置会社において、取締役の任期を選任後1年以内に終了する事業年度のうち最終のものに関する定時株主総会の終結の時までとする定款の定めについて、取締役の任期を選任後2年以内に終了する事業年度のうち最終のものに関する定時株主総会の終結の時までとする定款の変更をした場合には、当該定款の変更の効力が生じた時に現に在任している取締役の任期は、当該定款の変更の後の定款で定めた任期となる。

○ 038

取締役は、原則として、株主総会の決議により選任されるが（329
Ⅰ）、株主総会の普通決議（309Ⅰ）とは異なり、定款の定めによっ
ても、その定足数を議決権を行使することができる株主の議決権
の3分の1を下回る数にまで軽減することは認められていない
（341括弧書参照）。

× 039

取締役を二人以上選任する場合、各取締役についてそれぞれ異な
る任期を定めることができる（登研366-88）。

○ 040

定款を変更して取締役の任期を伸長した場合、反対の意思表示が
あるなど特段の事情があるときを除き、在任中の取締役の任期は
伸長される（昭30.9.12民甲1886号）。

機関

❸ 取締役

041 ▢▢▢
令2-29-ア

監査等委員会設置会社においては、定款又は株主総会の決議によって、監査等委員である取締役の任期を選任後1年以内に終了する事業年度のうち最終のものに関する定時株主総会の終結の時までとすることはできない。

042 ▢▢▢
令2-29-イ

会社法上の公開会社ではない監査等委員会設置会社においては、定款によって、取締役の任期を選任後10年以内に終了する事業年度のうち最終のものに関する定時株主総会の終結の時までとすることはできない。

043 ▢▢▢
令2-29-ウ

会社法上の公開会社ではない監査役設置会社においては、定款によらず、株主総会の決議によって、取締役の任期を選任後10年以内に終了する事業年度のうち最終のものに関する定時株主総会の終結の時までとすることができる。

044 ▢▢▢
平25-31-イ

取締役会設置会社（監査等委員会設置会社及び指名委員会等設置会社を除く。）である甲株式会社（以下「甲社」という。）の取締役Aが法令に違反する行為をし、これによって、著しい損害が生ずるおそれが甲社に発生した場合において、会社法所定の要件を満たす株主は、Aを解任する旨の議案が株主総会において否決された場合でなくても、裁判所の許可を得て、訴えをもってAの解任を請求することができる。

○ **041**

監査等委員である取締役の任期については、定款又は株主総会の決議によって、短縮することはできない（332Ⅳ・Ⅰ但書）。

○ **042**

会社法上の公開会社でない株式会社（監査等委員会設置会社及び指名委員会等設置会社を除く）は、定款によって、取締役の任期を選任後10年以内に終了する事業年度のうち最終のものに関する定時株主総会の終結の時まで伸長することができる（332Ⅱ・Ⅰ）。

× **043**

会社法上の公開会社でない株式会社（監査等委員会設置会社及び指名委員会等設置会社を除く）は、定款によって、取締役の任期を選任後10年以内に終了する事業年度のうち最終のものに関する定時株主総会の終結の時まで伸長することができる（332Ⅱ・Ⅰ）。

× **044**

役員の職務の執行に関し不正の行為又は法令若しくは定款に違反する重大な事実があったにもかかわらず、当該役員を解任する旨の議案が株主総会において否決されたときは、会社法所定の要件を満たす株主は、当該株主総会の日から30日以内に、訴えをもって当該役員の解任を請求することができる（854）。

機関

❸ 取締役

取締役の欠員の場合の処置

045 ☐☐☐

平26-30-オ

３人以上の取締役を置く旨の定款の定めのある取締役会設置会社（監査等委員会設置会社を除く。）において、取締役として代表取締役Ａ並びに代表取締役でない取締役Ｂ、Ｃ及びＤの４人が在任している場合において、Ａが取締役を辞任したときは、Ａは、新たに選定された代表取締役が就任するまで、なお代表取締役としての権利義務を有する。

046 ☐☐☐

平22-34-ウ

株主は、退任後もなお役員としての権利義務を有する者については、その者が職務の執行に関し不正の行為をした場合であっても解任の訴えを提起することはできない。

競業避止義務及び利益相反取引

047 ☐☐☐

平24-30-ア

取締役会設置会社であるＡ株式会社の代表取締役たるＸが、取締役会の承認を受けることなく自己のためにＡ株式会社と取引をした場合であっても、Ｘは、Ａ株式会社に対し、取締役会の承認の欠缺を理由として当該取引の無効を主張することができない。

× 045

3人以上の取締役を置く旨の定款の定めのある取締役会設置会社において、取締役として4人が在任している場合、代表取締役である取締役Aが取締役を辞任したときは、取締役の権利義務を有しないため、代表取締役としての権利義務を有しない（351Ⅰ・346Ⅰ参照）。

○ 046

346条1項に基づき退任後も権利義務を有する役員につき、職務執行に関し不正な行為又は法令・定款に違反する事実があったとしても、854条の役員の解任の訴えを適用ないし類推適用することはできない（最判平20.2.26）。

○ 047

取締役が自己のために利益相反取引をすることについて取締役会の承認を受けていない場合、会社は、取締役に対しては、常に取引の無効を主張することができる。しかし、利益相反取引について取締役会の承認を必要とする趣旨が、会社の利益保護という目的にあるため、取締役の側から取引の無効を主張することは許されない（最判昭48.12.11）。

機関

❸ 取締役

取締役会設置会社であるＡ株式会社の代表取締役たるＸが、取締役会の承認を受けることなくＡ株式会社を代表して債権者Ｂに対する自己の債務の引受けをした場合には、Ａ株式会社は、取締役会の承認の欠缺についてＢが悪意であるかどうかを問わず、Ｂに対し、当該債務の引受けの無効を主張することができる。

取締役会設置会社であるＡ株式会社の代表取締役たるＸが、自己のためにＡ株式会社と取引をしようとする場合には、ＸがＡ株式会社の発行済株式の全部を有するときであっても、ＸはＡ株式会社の取締役会の承認を受けなければならない。

取締役会設置会社であるＡ株式会社の代表取締役たるＸが、Ａ株式会社に対して無利息かつ無担保で金銭の貸付けをしようとする場合には、Ｘは、Ａ株式会社の取締役会の承認を受けることを要しない。

取締役会設置会社が取締役から負担のない贈与を受けることについては、当該取締役会設置会社と取締役との間の取引として取締役会の承認は必要ない。

× 048

取締役が会社以外の第三者と自己のために取引をした場合は、取引の安全の見地により、善意の第三者を保護する必要性があるため、会社は、その取引について取締役会の承認を受けていないことのほか、相手方である第三者が悪意であることを主張・立証してはじめて、その無効を相手方である第三者に主張することができる（最大判昭43.12.25）。

× 049

取締役が会社の全株式を所有しており、会社の営業が実質上取締役の個人経営である場合、会社と取締役の間に実質的な利益相反の関係がないため、会社と取締役間の取引について、取締役会の承認を得ることを要しない（最判昭45.8.20）。

○ 050

取締役が株式会社に対して無利息・無担保で金銭を貸し付ける行為は、会社にとって何ら不利益となるものではないため、取締役会の承認を受けることを要しない（356Ⅰ②・365Ⅰ、最判昭38.12.6）。

○ 051

取締役から会社に対してされる負担のない贈与については、会社の利益が害されるおそれがないことから、当該承認は不要とされている（大判昭13.9.28）。

機関

❸ 取締役

取締役会設置会社であるA株式会社の代表取締役たるXが、A株式会社を代表して、自らが代表取締役を務めるC株式会社の債務を保証しようとするときは、Xは、A株式会社の取締役会の承認を受けることを要しない。

指名委員会等設置会社以外の取締役会設置会社が取締役に対して金銭を貸し付けた場合、当該貸付けにつき取締役会の承認を受けたか否かにかかわらず、当該取締役会設置会社を代表した取締役及び当該貸付けを受けた取締役は、その取引後、遅滞なく、その取引についての重要な事実を取締役会に報告しなければならない。

A及びC両会社の代表取締役である者が、A会社を代表して、C会社の債務の保証をすることは、株式会社が取締役以外の者との間において株式会社と当該取締役との利益が相反する取引として、取締役会の承認を受けることを要する（最判昭45.4.23）。

取締役会設置会社において、利益相反取引をした取締役は、当該取引後遅滞なく、当該取引についての重要な事実を取締役会に報告しなければならない（365Ⅱ・356Ⅰ②）。

機関

❸ 取締役

取締役会の招集

054 □□□ 平22-30-ア改題

取締役会は、3か月に1回以上開催しなければならない。

055 □□□ 平29-30-ア

監査役設置会社である取締役会設置会社において、代表取締役は、3か月に1回以上、自己の職務の執行の状況を取締役会に報告しなければならず、当該報告については、取締役及び監査役の全員に対して取締役会に報告すべき事項を通知することによって省略することができない。

056 □□□ 平元-32-オ（平31-31-ア）

取締役会は、代表取締役が招集することとし、他の取締役の招集権限を制限するためには、定款にその旨を定めることを要する。

057 □□□ 平20-33-ア

監査役を置く取締役会設置会社で、かつ、監査役の監査の範囲を会計に関するものに限定する旨の定款の定めがある会社の代表取締役が法令又は定款に違反する行為をした場合、各株主は、取締役会を招集する権限を有する取締役に対し、代表取締役の解職を目的として、取締役会の招集を請求することができる。

○ 054

業務執行権限を有する取締役は、3か月に1回以上、自己の職務の執行の状況を取締役会に報告しなければならず（363Ⅰ・Ⅱ）、この報告については、取締役の全員に報告すべき事項を通知することにより、省略をすることができないことから（372Ⅱ）、3か月に1回以上は現に取締役会を開催しなければならない。

○ 055

代表取締役は、3か月に1回以上、自己の職務の執行の状況を取締役会に報告しなければならず（363Ⅱ・Ⅰ①）、取締役（監査役設置会社にあっては、取締役及び監査役）の全員に対して当該報告すべき事項を通知したとしても、取締役会への報告を省略することができない（372Ⅱ・Ⅰ）。

✕ 056

取締役会の招集権者は、原則として、各取締役である（366Ⅰ本文）。ただし、定款又は取締役会の決議をもって招集権者を特定の取締役に限定することが認められており（366Ⅰ但書）、必ずしも定款で定める必要はない。

○ 057

監査役設置会社、監査等委員会設置会社及び指名委員会等設置会社を除く取締役会設置会社の株主は、取締役会の招集を請求することができる（367Ⅰ・Ⅱ）。監査役の監査の範囲を会計に関するものに限定する旨の定款の定めがある取締役会設置会社は監査役設置会社ではない（2⑨）ので、当該会社の各株主は、取締役会の招集を請求することができる。

機関

❹ 取締役会

取締役会は、取締役の全員の同意があれば、招集の手続を経ることなく開催することができる。

監査役の監査の範囲を会計に関するものに限定する旨の定款の定めがある株式会社の監査役に対しては取締役会の招集の通知を発することを要しない。

監査役の監査の範囲が会計に関するものに限定されている場合における取締役会設置会社の株主は、取締役が当該会社の目的の範囲外の行為その他法令若しくは定款に違反する行為をし、又はこれらの行為をするおそれがあると認めるときは、取締役会の招集を請求することができる。

取締役会設置会社（監査等委員会設置会社及び指名委員会等設置会社を除く。）である甲株式会社（以下「甲社」という。）の取締役Aが法令に違反する行為をし、これによって、著しい損害が生ずるおそれが甲社に発生した場合に関して、甲社が監査役設置会社である場合においては、監査役は、必要があると認めるときは、取締役に対して取締役会の招集を請求することなく、取締役会を招集することができる。

○ 058

取締役会は、取締役（監査役設置会社にあっては、取締役及び監査役）の全員の同意があるときは、招集の手続を経ることなく開催することができる（368Ⅱ）。

○ 059

監査役の監査の範囲を会計に関するものに限定する旨の定款の定めがある株式会社は、監査役設置会社でないため（2⑨）、当該株式会社の監査役に対しては取締役会の招集の通知を発することを要しない（368Ⅰ参照）。

○ 060

監査役の監査の範囲が会計に関するものに限定されている会社は、監査役設置会社に当たらず（2⑨）、株主は、取締役会の招集を請求することができる（367Ⅰ）。

× 061

監査役は、必要があると認めるときは、取締役に対し、取締役会の招集を請求することができる（383Ⅱ）。そして、請求があった日から5日以内に、その請求があった日から2週間以内の日を取締役会の日とする取締役会の招集の通知が発せられない場合は、その請求をした監査役は、取締役会を招集することができる（383Ⅲ）。

機関

❹ 取締役会

取締役会決議

062　　　　　　　　　　　　　　　　　　　　　平29-30-ウ

監査役設置会社である取締役会設置会社において、取締役会の決議について、特別取締役による議決をもって行った場合には、特別取締役の互選によって定められた者は、当該取締役会の決議後、遅滞なく、当該決議の内容を特別取締役以外の取締役に加えて、監査役にも報告しなければならない。

063　　　　　　　　　　　　　　　　　　　　　平30-30-イ

特別取締役による議決の定めがある場合には、取締役会設置会社が取締役から利息付きで多額の借財をすることについて、多額の借財についての取締役会の決定及び当該取締役会設置会社と取締役との間の取引についての取締役会の承認のいずれについても、特別取締役による議決をもって行うことができる。

064　　　　　　平22-30-エ（平4-39-1、平11-34-エ）改題

取締役会における議決の要件は、定款で定めることにより加重することができる。

065　　　　　　　　　　　　　　　　　　　　　平22-30-オ改題

取締役会においては、その決議に参加した取締役であって議事録に異議をとどめないものは、その決議に賛成したものと推定される。

× 062

特別取締役の互選によって定められた者は、特別取締役による取締役会の決議後、遅滞なく、当該決議の内容を特別取締役以外の取締役に報告しなければならない（373Ⅲ）。これに対して、監査役に対する決議内容の報告義務はない。

× 063

特別取締役による取締役会において決議することのできる事項は、重要な財産の処分及び譲受け並びに多額の借財に限定されている（373Ⅰ・362Ⅳ①・②）。したがって、会社と取締役との間の取引についての取締役会の承認は、特別取締役による議決をもって行うことができない。

○ 064

取締役会の決議は、議決に加わることができる取締役の過半数（これを上回る割合を定款で定めた場合にあっては、その割合以上）が出席し、その過半数（これを上回る割合を定款で定めた場合にあっては、その割合以上）をもって行う（369Ⅰ）。

○ 065

取締役会の決議に参加した取締役であって議事録に異議をとどめないものは、その決議に賛成したものと推定される（369Ⅴ）。

機関

❹ 取締役会

監査役設置会社の取締役が取締役会の決議の目的である事項について提案をした場合において、当該提案につき取締役及び監査役の全員が書面により同意の意思表示をしたときは、決議の省略に係る定款の定めがないときであっても、当該提案を可決する旨の決議があったものとみなされる。

監査役設置会社である取締役会設置会社において、重要な財産の処分若しくは譲受け又は多額の借財についての取締役会の決議について、特別取締役による議決をもって行うことができる旨は、定款で定めることを要しない。

068

監査役の監査の範囲を会計に関するものに限定する旨の定款の定めがある株式会社の監査役は、取締役会に出席した場合でも、書面をもって作成されたその議事録に署名又は記名押印をする必要はない。

監査役の監査の範囲を会計に関するものに限定する旨の定款の定めがある株式会社の株主は、その権利を行使するため必要がある場合には、当該株式会社の営業時間内は、いつでも、裁判所の許可を得ることなく、書面をもって作成されている取締役会の議事録の閲覧又は謄写の請求をすることができる。

取締役会設置会社において、いわゆるみなし決議をするには、定
款の規定が必要である（370）。

取締役会は、重要な財産の処分・譲受け、多額の借財についての
特別取締役による議決をもって行う旨を定めることができる
（373Ⅰ・399の13Ⅴ・Ⅵ）。したがって、当該定めは、取締役
会の決議で定めることができるため、定款で定めることを要しな
い。

監査役の監査の範囲を会計に関するものに限定する旨を定款に定
めた株式会社において、監査役は取締役会への出席義務を負わな
いが、出席義務のない監査役が任意に取締役会に出席した場合、
当該監査役は、議事録の署名義務を負う監査役に含まれる。

069

監査役設置会社においては、当該閲覧又は謄写の請求をする際、
裁判所の許可を得ることを要するが（371Ⅲ）、監査役の監査の
範囲を会計に関するものに限定する旨を定款に定めた株式会社
は、原則として、会社法上の監査役設置会社に該当しないため（2
⑨括弧書）、裁判所の許可を得ることを要しない。

機
関

❹
取
締
役
会

監査役会設置会社において株主総会、取締役会及び監査役会の議
事録が書面で作成されている場合に関し、監査役会設置会社の債
権者が当該監査役会設置会社の取締役会の議事録の閲覧又は謄写
の請求をするには、裁判所の許可を得ることを要しない。

監査役会設置会社において株主総会、取締役会及び監査役会の議
事録が書面で作成されている場合に関し、監査役会設置会社の親
会社社員が当該監査役会設置会社の取締役会の議事録の閲覧又は
謄写の請求をするには、裁判所の許可を得ることを要する。

取締役会の決議による代表取締役の解職は、当該代表取締役に対
し、当該決議を告知することによって、その効力を生ずる。

取締役会の決議の目的である事項について、決議に参加した取締
役による賛否が同数となった後、当該取締役による過半数の賛成
により議長一任の決議が成立したときは、議長は、決裁権を行使
して、賛否が同数となった当該事項についての取締役会の決議を
成立させることができる。

✕ 070

取締役会設置会社の債権者は、取締役会の議事録が書面をもって作成されている場合において、役員の責任を追及するために必要があるときは、裁判所の許可を得て、当該議事録の閲覧又は謄写の請求をすることができる（371Ⅳ・Ⅱ①・Ⅰ）。

◯ 071

取締役会設置会社の親会社社員は、取締役会の議事録が書面をもって作成されている場合において、役員の責任を追及するために必要があるときは、裁判所の許可を得て、当該議事録の閲覧又は謄写の請求をすることができる（371Ⅴ・Ⅳ・Ⅱ①・Ⅰ）。

✕ 072

取締役会の決議による代表取締役の解職は、その決議により直ちにその効力が生ずるのであり、代表取締役に対する告知があってはじめて生ずるものではない（最判昭41.12.20）。

◯ 073

取締役会の決議の目的である事項について、決議に参加した取締役による賛否が同数となった後、当該取締役による過半数の賛成により議長一任の決議が成立したときは、議長は、決裁権を行使して、賛否が同数となった当該事項についての取締役会の決議を成立させることができる。

監査役設置会社である取締役会設置会社において、会計参与は、計算書類の承認をする取締役会に出席しなければならず、取締役会の議事録が書面をもって作成されているときは、出席した会計参与は、これに署名し、又は記名押印しなければならない。

監査役会設置会社の取締役会は、取締役の過半数が社外取締役である場合には、その決議によって、重要な業務執行の決定の全部又は一部を取締役に委任することができる。

× 074

取締役会設置会社の会計参与（会計参与が監査法人又は税理士法人である場合にあっては、その職務を行うべき社員）は、計算書類等の承認をする取締役会に出席しなければならないが（376 I 前段・436Ⅲ・441Ⅲ・444Ⅴ）、出席した会計参与が、署名し、又は記名押印しなければならないとの規定はない（369Ⅲ参照）。

× 075

取締役会設置会社においては、①重要な財産の処分及び譲受け、②多額の借財、③支配人その他の重要な使用人の選任及び解任、④支店その他の重要な組織の設置、変更及び廃止等を取締役に委任することはできない（362Ⅳ各号、会社施規99・100）。

機関

❹ 取締役会

❺ 会社の代表機関

076 ▢▢▢　　　　　　　　平13-28-5（平8-33-1、平18-31-ウ）

監査等委員会設置会社及び指名委員会等設置会社を除く取締役会設置会社における代表取締役と支配人の選定又は選任は、いずれも、取締役会の決議によらなければならない。

077 ▢▢▢　　　　　　　　　　　　　　　　令5-28-イ

会社法上の公開会社でない取締役会設置会社においては、取締役会の決議によるほか株主総会の決議によっても代表取締役を選定することができる旨の定款の定めは、有効である。

078 ▢▢▢　　　　　　　　　　　　　　　　平18-31-イ

支配人についても、代表取締役についても、裁判上又は裁判外の行為をする権限に制限を加えたときは、その旨の登記をすれば、当該制限を善意の第三者に対抗することができる。

079 ▢▢▢　　　　　　　　　　　　　　　　平27-30-オ

監査役の監査の範囲を会計に関するものに限定する旨の定款の定めがある株式会社においても、その株主総会は、当該株式会社と取締役との間の訴えについて監査役が当該株式会社を代表するものと定めることができる。

○ **076**

取締役会設置会社における代表取締役の選定は、取締役会の決議によらなければならない（362Ⅱ③）。また、監査等委員会設置会社及び指名委員会等設置会社を除く取締役会設置会社は、支配人の選任に関する事項を取締役に委任することができず、取締役会の決議によることが要求されている（362Ⅳ③・399の13Ⅴ・Ⅵ・Ⅳ③参照・416Ⅳ参照）。

○ **077**

取締役会設置会社においては、株主総会は、会社法に規定する事項及び定款で定めた事項に限り、決議をすることができる（295Ⅱ）。この点、会社法上の公開会社でない取締役会設置会社において、取締役会の決議によるほか株主総会の決議によっても代表取締役を定めることができる旨を定款に定めたとしても、代表取締役の選定及び解職に関する取締役会の権限（362Ⅱ③）が否定されるものではないことから、当該定款の定めは有効である（最決平29.2.21）。

× **078**

支配人及び代表取締役の権限に加えた制限は、いずれも善意の第三者に対抗することはできない（11Ⅲ・349Ⅴ）。また、これらの制限については登記することができない。

○ **079**

株主総会又は取締役会において、当該訴えについて株式会社を代表する者を定める場合（353・364）、当該株式会社の監査役を被選定者とすることは可能である。

機関

❺ 会社の代表機関

❻ 会計参与

080 平24-31-イ

株式会社の取締役は、その親会社の会計参与となることができる。

081 平24-31-ウ

会計参与については、累積投票による選任の制度は存しない。

082 平24-31-エ

会計参与は、株式会社の役員の解任の訴えの対象となる。

083 平24-31-オ

監査役会設置会社においては、取締役は、会計参与の選任に関する議案を株主総会に提出するには、監査役会の同意を得なければならない。

084 平21-29-ウ

監査役会設置会社である甲株式会社が会計参与設置会社である場合において、代表取締役の解職に関する取締役会をその招集通知を発することなく開催するときは、取締役、監査役及び会計参与の全員の同意がなければならない。

085 令3-30-ア

会計参与は、株主総会において、会計参与の解任について意見を述べることができる。

× **080**

株式会社又はその子会社の取締役は、会計参与になることができない（333Ⅲ①）。

○ **081**

会計参与については、累積投票による選任の制度は存しない（342参照）。

○ **082**

株式会社の役員の解任の訴えは、取締役、会計参与又は監査役がその対象となる（854・329Ⅰ）。

× **083**

監査役会設置会社において、取締役は、会計参与の選任に関する議案を株主総会に提出するには、監査役会の同意を得なければならない旨の規定は存しない（343・344参照）。

× **084**

取締役会は、取締役（監査役設置会社にあっては、取締役及び監査役）の全員の同意があるときは、招集の手続を経ることなく開催することができ（368Ⅱ）、会計参与全員の同意を得る必要はない。

○ **085**

会計参与は、株主総会において、会計参与の選任若しくは解任又は辞任について意見を述べることができる（345Ⅰ）。

機関

❻ 会計参与

指名委員会等設置会社の会計参与は、執行役と共同して、計算書類及びその附属明細書、臨時計算書類並びに連結計算書類を作成する。

監査役が二人以上ある監査役設置会社の取締役は、会計参与の報酬等に関する定款の定め又は株主総会の決議がない場合であっても、監査役の過半数の同意を得て、会計参与の報酬等を定めることができる。

会計参与は、法定の期間、当該会計参与が定めた場所に各事業年度に係る計算書類及びその附属明細書並びに会計参与報告を備え置かなければならない。

指名委員会等設置会社において、会計参与は、執行役と共同して、計算書類及びその附属明細書、臨時計算書類並びに連結計算書類を作成する（374Ⅵ・Ⅰ前段）。

取締役が監査役の同意を得て、会計参与の報酬等を定めることができる旨の規定は存在しない（379参照）。

会計参与は、各事業年度に係る計算書類及びその附属明細書並びに会計参与報告を、当該会計参与が定めた場所に備え置かなければならない（378Ⅰ①・319Ⅰ、会社施規103Ⅰ）。

機関

❻ 会計参与

❼ 監査役

089 ▢▢▢　　　　　　　　　　　　平20-33-ウ（平18-33-エ）

監査役を置く取締役会設置会社で、かつ、監査役の監査の範囲を
会計に関するものに限定する旨の定款の定めがある会社の代表取
締役が法令又は定款に違反する行為をした場合、株主が代表取締
役に対し当該行為をやめることを請求するには、代表取締役の行
為によって会社に著しい損害が生ずるおそれがあるだけでは足り
ず、会社に回復することができない損害が生ずるおそれがあると
きでなければならない。

090 ▢▢▢　　　　　　　　　　　　　　　平25-31-ア

取締役会設置会社（監査等委員会設置会社及び指名委員会等設置
会社を除く。）である甲株式会社（以下「甲社」という。）の取締
役Aが法令に違反する行為（以下「本件行為」という。）をし、こ
れによって、著しい損害が生ずるおそれが甲社に発生した場合に、
甲社が会社法上の公開会社である場合には、同法所定の要件を満
たす株主は、Aに対し、本件行為をやめることを請求することがで
きる。

091 ▢▢▢　　　　　　　　　　　　　　　平20-33-エ

監査役を置く取締役会設置会社で、かつ、監査役の監査の範囲を
会計に関するものに限定する旨の定款の定めがある会社の代表取
締役が法令又は定款に違反する行為をした場合、代表取締役の行
為により会社に著しい損害が生ずるおそれがあるときは、これを発
見した取締役は、直ちに、その事実を株主に報告しなければなら
ない。

× **089**

監査役を置いている取締役会設置会社であっても、監査役の監査の範囲を会計に関するものに限定する旨の定款の定めがある株式会社は監査役設置会社ではない（2⑨）ため、当該会社の株主は、代表取締役が法令又は定款に違反する行為をした場合に当該株式会社に「著しい損害が生ずるおそれがあるとき」は、当該代表取締役に対し、当該行為をやめることを請求することができる（360 Ⅰ・Ⅱ）。

× **090**

会社法上の公開会社の株主は、取締役が法令に違反する行為をし、当該行為によって当該株式会社に「回復することができない損害」が生ずるおそれがあるときは、当該取締役に対し、当該行為をやめることを請求することができる（360Ⅰ・Ⅲ）。

○ **091**

監査役を置いている取締役会設置会社であっても、監査役の監査の範囲を会計に関するものに限定する旨の定款の定めがある株式会社は監査役設置会社ではない（2⑨）ため、当該会社の取締役は、株式会社に著しい損害を及ぼすおそれのある事実があることを発見したときは、直ちに、当該事実を株主に報告しなければならない（357Ⅰ）。

機関

❼ 監査役

取締役会設置会社（監査等委員会設置会社及び指名委員会等設置
会社を除く。）である甲株式会社（以下「甲社」という。）の取締
役Aが法令に違反する行為（以下「本件行為」という。）をし、こ
れによって、著しい損害が生ずるおそれが甲社に発生した場合に
関して、甲社が監査役設置会社でない場合においては、取締役Bは、
本件行為により甲社に著しい損害が生ずるおそれがあることを発
見したときは、直ちに、これを株主に報告しなければならない。

取締役は、監査役会設置会社以外の監査役設置会社（清算株式会
社を除く。）において、監査役の選任に関する議案を株主総会に提
出するには、監査役が二人以上ある場合にあっては、その全員の
同意を得なければならない。

監査等委員会設置会社を除く株式会社において、累積投票によっ
て選任された取締役の解任及び監査役の解任を株主総会の決議に
よって行う場合には、いずれも特別決議によって行う。

監査役設置会社（清算株式会社を除く。）の監査役は、会計参与設
置会社にあっては、取締役及び会計参与の職務の執行を監査する。

○ 092

監査役設置会社でない株式会社（監査等委員会設置会社及び指名委員会等設置会社を除く。）の取締役は、株式会社に著しい損害を及ぼすおそれのある事実があることを発見したときは、直ちに、当該事実を株主に報告しなければならない（357Ⅰ）。

× 093

取締役は、監査役がある場合において、監査役の選任に関する議案を株主総会に提出するには、監査役（監査役が二人以上ある場合にあっては、その過半数）の同意を得なければならない（343Ⅰ）。

○ 094

取締役は、原則として、株主総会の普通決議により解任することができるが（339Ⅰ・341・309Ⅰ）、累積投票（342参照）により選任された取締役（監査等委員である取締役を除く。）又は監査等委員である取締役を解任する場合には、株主総会の特別決議によらなければならない（309Ⅱ⑦）。また、監査役を解任する場合にも、株主総会の特別決議によらなければならない（309Ⅱ⑦）。

○ 095

監査役は、取締役（会計参与設置会社にあっては、取締役及び会計参与）の職務の執行を監査する（381Ⅰ前段）。

機関

❼ 監査役

監査役会設置会社の監査役は、各自、会社の業務及び財産の状況の調査をすることができるが、指名委員会等設置会社の監査委員は、監査委員会の選定する監査委員に限り、会社の業務及び財産の状況の調査をすることができる。

監査役設置会社である取締役会設置会社において、監査役は、取締役が不正の行為をするおそれがあると認めるときは、直ちに、取締役会を招集することができる。

監査役設置会社（清算株式会社を除く。）が会計監査人であった者に対し訴えを提起する場合には、その訴えについては、監査役がその監査役設置会社を代表する。

株主による取締役の行為の差止請求権の行使については、監査役の監査の範囲が会計に関するものに限定されているか否かによって、その要件が異なることはない。

○ **096**

監査役は、いつでも、取締役及び会計参与並びに支配人その他の使用人に対して事業の報告を求め、又は監査役設置会社の業務及び財産の状況の調査をすることができる（381Ⅱ）。一方、監査委員会が選定する監査委員は、いつでも、執行役等及び支配人その他の使用人に対し、その職務の執行に関する事項の報告を求め、又は指名委員会等設置会社の業務及び財産の状況の調査をすることができる（405Ⅰ）。

× **097**

監査役は、取締役が不正の行為をするおそれがあると認める場合において、必要があると認めるときは、取締役に対し、取締役会の招集を請求することができる（383Ⅱ・382）。そして、当該請求があった日から5日以内に、その請求があった日から2週間以内の日を取締役会の日とする取締役会の招集の通知が発せられない場合は、その請求をした監査役は、取締役会を招集することができる（383Ⅲ）。

× **098**

監査役設置会社が会計監査人であった者に対し訴えを提起する場合には、当該訴えについては、株式会社の業務に関する一切の裁判上の行為をする権限を有する代表取締役（349Ⅳ）が監査役設置会社を代表する。

× **099**

監査役の監査の範囲が会計に関するものに限定されている会社は、監査役設置会社に当たらない（2⑨）ことから、監査役の権限の範囲によって、株主による取締役の違法行為差止請求権の要件は異なることとなる（360参照）。

機関

❼ 監査役

会社法上の公開会社でない株式会社は、大会社であっても、定款によって、その監査役の監査の範囲を会計に関するものに限定することができる。

監査役を置く株式会社は、監査役の監査の範囲を会計に関するものに限定する旨の定款の定めを設けた場合には、その旨の変更の登記をしなければならない。

監査役の任期は、選任後４年以内に終了する事業年度のうち最終のものに関する定時株主総会の終結の時までである。

監査役の監査の範囲を会計に関するものに限定する旨の定款の定めを廃止する定款の変更をした場合には、取締役及び監査役の任期は、当該定款の変更の効力が生じた時に満了する。

監査役会設置会社の監査役は、取締役が定款に違反する行為をするおそれがある場合において、当該行為によって会社に著しい損害が生ずるおそれがあるときは、当該取締役に対し、当該行為をやめることを請求することができる。

× **100**

大会社は、会社法上の公開会社でない株式会社であっても会計監査人を置かなければならず（328Ⅰ・Ⅱ）、会計監査人設置会社は、監査役の監査権限を会計に関するものに限定することはできない（389Ⅰ）。

○ **101**

監査役設置会社が、監査役の監査の範囲を会計に関するものに限定する旨の定款の定めがある株式会社であるときは、その旨を登記しなければならない（915Ⅰ・911Ⅲ⑰イ）。

○ **102**

監査役の任期は、原則として、選任後4年以内に終了する事業年度のうち最終のものに関する定時株主総会の終結の時までである（336Ⅰ）。

× **103**

監査役の監査の範囲を会計に関するものに限定する旨の定款の定めを廃止する定款の変更をした場合には、監査役の任期は、当該定款の変更の効力が生じた時に満了する（336Ⅳ③）。しかし、取締役の任期は、当該定款の変更の効力が生じた時に満了する旨の規定はない（332Ⅶ参照）。

○ **104**

監査役は、取締役が監査役設置会社の目的の範囲外の行為その他法令若しくは定款に違反する行為をし、又はこれらの行為をするおそれがある場合において、当該行為によって当該監査役設置会社に著しい損害が生ずるおそれがあるときは、当該取締役に対し、当該行為をやめることを請求することができる（385Ⅰ）。

機関

7 監査役

105 □□□ 令6-31-ア

成年被後見人は、監査役となることができない。

106 □□□ 平18-31-オ（平14-27-5）

支配人も、代表取締役も、当該株式会社の子会社の監査役を兼ねることはできない。

107 □□□ 平20-34-ア

監査役会設置会社の監査役は、その子会社である指名委員会等設置会社の監査委員を兼ねることができないが、指名委員会等設置会社の監査委員は、その子会社である監査役会設置会社の監査役を兼ねることができる。

108 □□□ 平18-35-イ

監査役の監査の範囲が会計に関するものに限定されている監査役の任期は、定款によって、選任後10年以内に終了する事業年度のうち最終のものに関する定時株主総会の終結の時まで伸長することができる。

109 □□□ 平20-33-オ（平25-31-オ）

監査役を置く取締役会設置会社で、かつ、監査役の監査の範囲を会計に関するものに限定する旨の定款の定めがある会社において、代表取締役の行為により会社に著しい損害が生ずるおそれがあるときは、監査役は、代表取締役に対し、当該行為をやめることを請求することができる。

成年被後見人は、監査役の欠格事由ではない（335・331Ⅰ・Ⅱ・331の2参照）。

× **106**

支配人又は取締役は、子会社の監査役を兼ねることができる（335Ⅱ参照）。親会社は、出資者として子会社を監督する立場にあることから、子会社の監査役の地位と矛盾しないからである。

○ **107**

監査委員は取締役であるから（400Ⅱ参照）、監査役は、その子会社である指名委員会等設置会社の監査委員を兼ねることができない。一方、監査委員は、子会社の監査役を兼ねることは禁止されていない（400Ⅳ参照）。

○ **108**

監査の範囲が会計に関するものに限定されている監査役は、常に会社法上の公開会社でない株式会社の監査役であり、任期を伸長することができる（336Ⅱ参照）。

× **109**

定款に監査役の監査の範囲を会計に関するものに限定する旨の定めがある会社の監査役は、当該行為をやめることを請求することができない（389Ⅶ）。

機関

❼ 監査役

会社法上の公開会社であり、かつ、大会社である監査役会設置会社は、金融商品取引法第24条第１項の規定によりその発行する株式について有価証券報告書を内閣総理大臣に提出しなければならないものであるときは、社外取締役を置かなければならない。

監査役会は、監査役の中から常勤の監査役を選定しなければならない。

株式会社の監査役会において招集をすべき監査役を定めたときは、その監査役以外の監査役は、監査役会を招集することができない。

監査役会設置会社の監査役は、株主総会において、取締役の選任について監査役会の意見を述べることができる。

取締役は、監査役がある場合において、監査役の選任に関する議案を株主総会に提出するには、監査役の意見を聴かなければならないが、その同意を得る必要はない。

○ 110

監査役会設置会社（会社法上の公開会社であり、かつ、大会社であるものに限る。）であって金融商品取引法24条1項の規定によりその発行する株式について有価証券報告書を内閣総理大臣に提出しなければならないものは、社外取締役を置かなければならない（327の2）。

○ 111

監査役会設置会社においては、監査役を3名以上置かなければならず（335Ⅲ）、監査役会は、当該監査役の中から常勤の監査役を選定しなければならない（390Ⅲ）。

× 112

監査役会において招集すべき監査役を定めることはできず各監査役は、監査役会を招集する（391）。

× 113

監査役は、株主総会において、監査役の選任若しくは解任又は辞任について意見を述べることができるが（345Ⅳ・Ⅰ）、「取締役」の選任若しくは解任又は辞任について意見を述べることはできない。

× 114

取締役は、監査役がある場合において、監査役の選任に関する議案を株主総会に提出するには、監査役（監査役が二人以上ある場合にあっては、その過半数）の同意を得なければならない（343Ⅰ）。

機関

❼ 監査役

監査役会

115 □□□

監査役会設置会社において、取締役が監査役の解任に関する議案を株主総会に提出するには、監査役会の同意を得なければならない。

116 □□□

監査役会は、3か月に1回以上開催することを要しない。

117 □□□

監査役会については、定款で書面決議による決議の省略を可能とすることはできない。

118 □□□

監査役会は、監査役の全員の同意があっても、招集の手続を経ることなく開催することができない。

119 □□□

監査役会における議決の要件は、定款で定めることにより加重することができない。

× **115**

監査役の解任に関する議案を株主総会に提出するには、監査役会の同意を得ることを要しない（343Ⅲ・Ⅰ参照）。

○ **116**

監査役は、監査役会の求めがあるときは、いつでもその職務の執行の状況を監査役会に報告しなければならないが（390Ⅳ）、3か月に1回以上、自己の職務執行の状況を監査役会に報告しなければならない旨の規定はない。

○ **117**

監査役会については、密接な情報共有による効率的かつ組織的な監査のために合議体の機関を設けた意味が乏しくなることから、定款で書面決議による決議の省略を可能とすることはできない。

× **118**

監査役会についても、監査役の全員の同意があるときは、招集の手続を経ることなく開催することができる（392Ⅱ）。

○ **119**

監査役会の決議は、監査役の過半数をもって行い（393Ⅰ）、定款で定めることにより要件を加重することができる旨の規定が置かれていない。

機関

❼ 監査役

監査役会において、その決議に参加した監査役であって議事録に異議をとどめないものは、その決議に賛成したものとは推定されない。

監査役会の決議に参加した監査役であって議事録に異議をとどめないものについては、その決議に賛成したものと推定される（393 Ⅳ）。

機関

7 監査役

⑧ 会計監査人

121 □□□　　　　　平10-34-3（平21-29-エ、平30-31-ウ）

株式会社の監査役会は、監査役全員の同意がなければ、会計監査人を解任することはできない。

122 □□□　　　　　平16-32-オ（令2-30-ア）

株主総会に提出する会計監査人の選任に関する議案の内容については、指名委員会等設置会社にあっては監査委員会が、それ以外の会社（監査等委員会設置会社を除く。）にあっては監査役又は監査役会が、その決定権限を有する。

123 □□□　　　　　平19-31-オ

監査役会設置会社においては、会計監査人が職務上の義務に違反したときは、監査役の過半数をもって行う監査役会の決議により、その会計監査人を解任することができる。

124 □□□　　　　　平19-31-エ

会計監査人の選任決議において、会計監査人の任期を、法定の任期より伸長し、又は短縮することはできない。

125 □□□　　　　　令2-30-イ

監査役会設置会社の会計監査人は、その職務を行うに当たっては、その会社の使用人を使用することができる。

○ **121**

監査役会が会計監査人を解任するには、事の重大性から、監査役全員の同意が要求されている（340Ⅱ・Ⅳ）。

○ **122**

指名委員会等設置会社において、監査委員会は、株主総会に提出する会計監査人の選任及び解任並びに会計監査人を再任しないことに関する議案の内容を決定する権限を有する（404Ⅱ②）。また、監査役設置会社においては、当該議案の内容は、監査役が決定（監査役が二人以上ある場合、監査役の過半数をもって決定）し、監査役会設置会社においては、当該議案の内容は監査役会が決定する（344）。

× **123**

監査役会設置会社において、会計監査人が職務上の義務に違反したときは、監査役会は、監査役の全員の同意をもって会計監査人を解任することができる（340Ⅰ①・Ⅱ・Ⅳ）。監査役の過半数をもって行う監査役会の決議では足りない。

○ **124**

会計監査人の任期は、その選任後1年以内に終了する事業年度のうち最終のものに関する定時株主総会の終結の時までと法定されている（338Ⅰ）。選任決議において、法定の任期より伸長し、又は短縮することができる旨の規定はない。

× **125**

会計監査人は、その職務を行うに当たっては、会計監査人設置会社又はその子会社の取締役、会計参与、監査役若しくは執行役又は支配人その他の使用人である者を使用してはならない（396Ⅴ②）。

機関

⑧ 会計監査人

126 □□□

令2-30-ウ

監査役会設置会社においては、会計監査人は、その職務を行うに際して取締役の職務の執行に関し不正の行為又は法令若しくは定款に違反する重大な事実があることを発見したときは、遅滞なく、これを監査役会に報告しなければならない。

127 □□□

令2-30-エ

株式会社の計算書類及びその附属明細書が法令又は定款に適合するかどうかについて、会計監査人が監査役会と意見を異にするものでない場合には、会計監査人と意見を異にする監査役の意見が監査役会の監査報告に付記されているときであっても、会計監査人は、定時株主総会に出席して意見を述べることはできない。

128 □□□

令2-30-オ

監査役会設置会社においては、会計監査人の報酬は、監査役会が決定する。

○ **126**

監査役会設置会社においては、会計監査人は、その職務を行うに際して取締役の職務の執行に関し不正の行為又は法令若しくは定款に違反する重大な事実があることを発見したときは、遅滞なく、これを監査役会に報告しなければならない（397Ⅲ・Ⅰ）。

× **127**

会計監査人が監査役会と意見を異にするものでない場合であっても、会計監査人と意見を異にする監査役の意見が監査役会の監査報告に付記されているときは、「監査役と意見を異にするとき」に該当し、会計監査人は、定時株主総会に出席して意見を述べることができる（398Ⅲ・Ⅰ・396Ⅰ参照）。

× **128**

監査役会には、会計監査人の報酬の決定に関する同意権が与えられているのみであり（399Ⅱ・Ⅰ）、会計監査人の報酬に関する決定権は与えられていない。

機関

❽ 会計監査人

❾ 指名委員会等設置会社

129 ☐☐☐ 平28-30-イ

大会社（清算株式会社を除く。）でない指名委員会等設置会社は、会計監査人を置かないことができる。

130 ☐☐☐ 平24-31-ア

指名委員会等設置会社における会計参与の個人別の報酬は、額が確定しているものでなければならない。

131 ☐☐☐ 平20-34-イ

監査役会設置会社においても、指名委員会等設置会社においても、監査役又は監査委員の各過半数は、それぞれ社外監査役又は社外取締役でなければならない。

132 ☐☐☐ 平23-31-ア

指名委員会の委員の過半数は、執行役を兼ねることができない。

133 ☐☐☐ 平23-31-イ

執行役の選任は、指名委員会の決定によって行う。

134 ☐☐☐ 平23-31-オ

執行役が使用人を兼ねている場合には、執行役の個人別の報酬及び使用人としての報酬は、いずれも報酬委員会がその内容を決定する。

×　129

指名委員会等設置会社は、会社の規模にかかわらず、会計監査人を置かなければならない（327Ⅴ）。

○　130

指名委員会等設置会社において、報酬委員会は、379条1項及び2項の規定にかかわらず、会計参与の個人別の報酬の内容を決定する（404Ⅲ・379Ⅰ・Ⅱ）。そして、報酬委員会が会計参与の個人別の報酬を定める場合は、額が確定しているものでなければならない（409Ⅲ①）。

×　131

監査役会設置会社においては、監査役は、3人以上で、そのうち「半数以上」は、社外監査役でなければならない（335Ⅲ）。一方、指名委員会等設置会社における各委員会の委員は、「過半数」が社外取締役でなければならない（400Ⅲ）。

○　132

各委員会の委員の過半数は、社外取締役でなければならず（400Ⅲ）、執行役は社外取締役の要件を満たさない（2⑮イ）ため、各委員会の委員の過半数は、執行役を兼ねることができない。

×　133

執行役は、取締役会の決議によって選任する（402Ⅱ）。

○　134

報酬委員会は、執行役の個人別の報酬等の内容を決定し、執行役が指名委員会等設置会社の支配人その他の使用人を兼ねているときは、当該支配人その他の使用人の報酬等の内容についても決定する（404Ⅲ）。

機関

⑨ 指名委員会等設置会社

監査役会設置会社においても、指名委員会等設置会社においても、各監査役又は各監査委員の報酬について定款の定め又は株主総会の決議がないときは、株主総会の決議によって定めた報酬の範囲内において、監査役の協議又は監査委員会の決議によって報酬を定めなければならない。

株主総会に提出する会計監査人の選任及び解任並びに会計監査人を再任しないことに関する議案の内容の決定は、株主が株主総会の招集を請求する場合を除き、監査役会設置会社においては監査役会が、指名委員会等設置会社においては監査委員会が、それぞれ行わなければならない。

執行役が二人以上ある場合の代表執行役の選定は、執行役の過半数をもって行う。

× 135

監査役の報酬等は、定款にその額を定めていないときは、株主総会の決議によって定める（387Ⅰ）。そして、監査役が二人以上ある場合において、各監査役の報酬等について定款の定め又は株主総会の決議がないときは、当該報酬等は、株主総会の決議によって定めた報酬等の範囲内において、監査役の協議によって定める（387Ⅱ）。一方、指名委員会等設置会社において、各監査委員の個人別の報酬等については、報酬委員会が決定する（404Ⅲ）。

○ 136

監査役会設置会社においては、株主総会に提出する会計監査人の選任及び解任並びに会計監査人を再任しないことに関する議案の内容の決定は、監査役会が行う（344Ⅰ・Ⅲ）。一方、指名委員会等設置会社にあっては、当該議案の内容の決定は、監査委員会が行う（404Ⅱ②）。

× 137

取締役会は、執行役の中から代表執行役を選定しなければならない（420Ⅰ前段）。

機関

❾ 指名委員会等設置会社

⑩ 監査等委員会設置会社

監査等委員会は、監査等委員の中から常勤の監査等委員を選定しなければならない。

監査等委員会設置会社において、監査等委員である取締役が5人いる場合には、そのうちの3人以上は社外取締役でなければならない。

監査等委員会設置会社の監査等委員は、取締役が定款に違反する行為をするおそれがある場合において、当該行為によって会社に著しい損害が生ずるおそれがあるときは、当該取締役に対し、当該行為をやめることを請求することができる。

監査等委員は、監査等委員会により選定されていなくても、法令又は定款に違反する事実があると認めるときは、遅滞なく、その旨を取締役会に報告しなければならない。

× 138

監査等委員会設置会社においては、監査等委員である取締役を3人以上置かなければならないが（331Ⅵ）、監査等委員会は、常勤の監査等委員である取締役を選定することを要しない。

○ 139

監査等委員会設置会社においては、監査等委員である取締役は、3人以上で、その過半数は、社外取締役でなければならない（331Ⅵ）。

○ 140

監査等委員は、取締役が監査等委員会設置会社の目的の範囲外の行為その他法令若しくは定款に違反する行為をし、又はこれらの行為をするおそれがある場合において、当該行為によって当該監査等委員会設置会社に著しい損害が生ずるおそれがあるときは、当該取締役に対し、当該行為をやめることを請求することができる（399の6Ⅰ）。

○ 141

監査等委員は、取締役が不正の行為をし、若しくは当該行為をするおそれがあると認めるとき、又は法令若しくは定款に違反する事実若しくは著しく不当な事実があると認めるときは、遅滞なく、その旨を取締役会に報告しなければならない（399の4）。この点、当該報告義務を負う監査等委員は、監査等委員会により選定されている者に限られない。

機関

⑩ 監査等委員会設置会社

142 □□□   令3-31-ウ

監査等委員は、監査等委員会により選定されていなくても、いつでも、取締役及び支配人その他の使用人に対し、その職務の執行に関する事項の報告を求め、又は当該監査等委員会設置会社の業務及び財産の状況の調査をすることができる。

143 □□□   平28-31-ア改題

監査等委員会設置会社の取締役会は、取締役の過半数が社外取締役である場合には、その決議によって、重要な業務執行の決定の全部又は一部を取締役に委任することができる。

144 □□□   平28-31-オ改題

監査等委員である取締役の任期は、選任後4年以内に終了する事業年度のうち最終のものに関する定時株主総会の終結の時までである。

145 □□□   平28-31-ウ（令3-31-イ）改題

監査等委員会設置会社の監査等委員会が選定する監査等委員は、株主総会において、監査等委員である取締役以外の取締役の選任について監査等委員会の意見を述べることができる。

146 □□□   令3-31-オ

監査等委員である取締役は、監査等委員会により選定されていなくても、株主総会において、監査等委員である取締役の報酬等について意見を述べることができる。

監査等委員会が選定する監査等委員は、いつでも、取締役（会計
参与設置会社にあっては、取締役及び会計参与）及び支配人その
他の使用人に対し、その職務の執行に関する事項の報告を求め、
又は監査等委員会設置会社の業務及び財産の状況の調査をするこ
とができる（399の3Ⅰ）。

○ 143

監査等委員会設置会社の取締役会は、①取締役の過半数が社外取
締役である場合、又は②定款で定めた場合には、一定の事項を除
き、その決議によって、重要な業務執行の決定を取締役に委任す
ることができる（399の13Ⅴ・Ⅵ）。

× 144

監査等委員である取締役の任期は、原則として、選任後2年以内
に終了する事業年度のうち最終のものに関する定時株主総会の終
結の時までである（332Ⅲ・Ⅳ・Ⅰ）。

○ 145

監査等委員会が選定する監査等委員は、株主総会において、監査
等委員である取締役以外の取締役の選任若しくは解任又は辞任に
ついて監査等委員会の意見を述べることができる（342の2Ⅳ）。

○ 146

監査等委員である取締役は、株主総会において、監査等委員であ
る取締役の報酬等について意見を述べることができる（361Ⅴ）。
そして、当該意見を述べることができる監査等委員である取締役
は、監査等委員会により選定されていることを要しない。

機関

⑩ 監査等委員会設置会社

監査役設置会社が指名委員会等を置く旨の定款の変更をした場合には、取締役及び監査役の任期は、当該定款の変更の効力が生じた時に満了する。

指名委員会等を置く旨の定款の変更をした場合、取締役及び監査役の任期は、当該定款の変更の効力が生じた時に満了する（332 Ⅶ①・336Ⅳ②）。

148 ☐☐☐ 　　　　　　　　　　　　　　　　平30-30-エ

最終完全親会社等がない取締役会設置会社において、自己のために取締役会設置会社から貸付けを受けた取締役が当該貸付けにつき会社法第423条第1項の責任を負う場合においては、当該責任については株主総会の決議又は総株主の同意によっても免除することができない。

149 ☐☐☐ 　　　　　　　　　　　　　　　　平18-35-オ

監査役の監査の範囲が会計に関するものに限定されている場合における取締役会設置会社においては、取締役に対する任務懈怠に基づく損害賠償請求権について、取締役会決議により、その一部を免除することはできない。

150 ☐☐☐ 　　　　　　　　　　　　平30-30-ウ（平6-31-エ）

監査等委員会設置会社以外の取締役会設置会社が取締役に対して金銭を貸し付けた場合において、自己のために貸付けを受けた取締役が約定に違反して弁済をせず、当該取締役会設置会社に損害が生じたときは、当該貸付けにつき取締役会の承認を受けたか否かにかかわらず、当該取締役は、その任務を怠ったものと推定され、当該取締役の会社法第423条第1項の責任は、任務を怠ったことが当該取締役の責めに帰することができない事由によるものであることをもって免れることができない。

✕ 148

自己のために株式会社との間で利益相反取引をした取締役の株式会社に対する当該損害賠償責任は、任務を怠ったことが当該取締役の責めに帰することができない事由によるものであることをもって免れることができず（428Ⅰ・356Ⅰ②・423Ⅰ）、また、株主総会の決議によっても免除することができない（428Ⅱ・425）。しかし、総株主の同意により当該損害賠償責任を免除することはできる（424）。

○ 149

監査役設置会社（取締役が二人以上ある場合に限る。）、監査等委員会設置会社又は指名委員会等設置会社は、423条1項の責任について、一定の要件を備えれば、取締役（当該責任を負う取締役を除く。）の過半数の同意（取締役会設置会社にあっては、取締役会の決議）によって免除することができる旨を定款で定めることができる（426Ⅰ）。しかし、監査役の監査の範囲が会計に関するものに限定されている会社は、監査役設置会社に当たらない（2⑨）ことから、取締役の責任を免除する旨を定款で定めることはできない（426Ⅰ）。

○ 150

自己のために株式会社との間で利益相反取引をした取締役の株式会社に対する損害賠償責任は、任務を怠ったことが当該取締役の責めに帰することができない事由によるものであることをもって免れることができない（無過失責任　428Ⅰ・356Ⅰ②・423Ⅰ）。

機関

⑪ 役員等その他の者の行為の規制

役員等と会社との関係

取締役会設置会社でない株式会社の取締役が自己のために当該株式会社の事業の部類に属する取引をしようとするときは、株主総会においてその承認を受けなければならない。

取締役会設置会社以外の株式会社において、会社の取締役が自己
のために会社の事業の部類に属する取引をしようとするときは、
株主総会の決議において、その承認を要する（356 I ①）。

第**5**編
株式会社の計算等

① 計算書類等

001 □□□

株式会社の計算書類等が書面をもって作成されている場合、株式会社の親会社社員は、当該株式会社の営業時間内は、いつでも、その請求の理由を明らかにして、当該株式会社の計算書類の謄本の交付の請求をすることができる。

002 □□□

会計監査人設置会社においては、各事業年度に係る計算書類及び事業報告並びにこれらの附属明細書は、会計監査人の監査を受けなければならない。

003 □□□

株式会社の計算書類等が書面をもって作成されている場合、株主は、株式会社の営業時間内は、いつでも、計算書類又は計算書類の写しの閲覧の請求をすることができる。

004 □□□

監査役会設置会社において、取締役は、取締役会の承認を受けて定時株主総会に提出され、又は提供された事業報告の内容を定時株主総会に報告しなければならない。

✕ 001

株主及び債権者は、株式会社の営業時間内は、いつでも、当該株式会社の計算書類の謄本の交付の請求をすることができるが（442Ⅲ②・①）、当該株式会社の親会社社員が当該請求をするには、裁判所の許可を得なければならない（442Ⅳ）。

✕ 002

会計監査人設置会社においては、各事業年度に係る計算書類及びその附属明細書は、監査役（監査等委員会設置会社にあっては監査等委員会、指名委員会等設置会社にあっては監査委員会）及び会計監査人の監査を受けなければならない（436Ⅱ①）。これに対し、各事業年度に係る事業報告及びその附属明細書は、監査役（監査等委員会設置会社にあっては監査等委員会、指名委員会等設置会社にあっては監査委員会）の監査を受けなければならないが、会計監査人の監査を受けることは要しない（436Ⅱ②参照）。

◯ 003

株主及び債権者は、株式会社の営業時間内は、いつでも、当該株式会社の計算書類又は計算書類の写しの閲覧の請求をすることができる（442Ⅲ①）。

◯ 004

取締役は、取締役会の承認を受けて定時株主総会に提出され、又は提供された事業報告の内容を定時株主総会に報告しなければならない（438Ⅲ・Ⅰ）。

株式会社の計算書類等が書面をもって作成されている場合、株式会社の債権者は、その権利を行使するために必要があるときは、裁判所の許可を得て、計算書類又は計算書類の写しの閲覧の請求をすることができる。

合名会社の債権者は、書面をもって作成された当該合名会社の計算書類の謄写を請求することができない。

合資会社の債権者は、当該合資会社の計算書類の閲覧又は謄写の請求をすることはできない。

合同会社の業務を執行する社員は、各事業年度に係る計算書類を作成し、当該合同会社の社員全員の承認を受けなければならない。

合同会社の債権者は、書面をもって作成された当該合同会社の計算書類（作成の日から5年以内のものに限る。）の謄写を請求することができる。

✕ **005**

株主及び債権者は、株式会社の営業時間内は、いつでも、当該株式会社の計算書類又は計算書類の写しの閲覧の請求をすることができる（442Ⅲ①）。

○ **006**

合名会社の債権者は、当該会社の計算書類の閲覧謄写請求をすることはできない（618Ⅰ参照）。

○ **007**

合資会社の債権者は、当該合資会社の計算書類の閲覧又は謄写の請求をすることはできない（618Ⅰ参照）。

✕ **008**

持分会社は、各事業年度に係る計算書類を作成しなければならないが（617Ⅱ）、当該計算書類について、承認を受けなければならない旨の規定はない。

○ **009**

合同会社の債権者は、当該合同会社の営業時間内は、いつでも、その計算書類（作成した日から5年以内のものに限る。）について、閲覧又は謄写の請求をすることができる（625・618Ⅰ）。

資本金

010 □□□
平29-32-ア

取締役会設置会社の計算等に関し、株式会社が資本金の額を減少して欠損の塡補をする場合において、減少する資本金の額が欠損の額を超えるときは、その超過額は準備金となる。

011 □□□
平19-29-エ

資本金の額を減少させる場合には、それに伴い、発行済株式総数も減少させなければならない。

012 □□□
平19-32-ウ

株式会社が自己の株式を取得した場合においては、それによって資本金の額が減少するときがある。

013 □□□
平29-32-イ

取締役会設置会社の計算等に関し、定時株主総会で資本金の額の減少を決議する場合において、減少する資本金の額が欠損の額を超えないときは、株式会社の債権者は、当該株式会社に対し、資本金の額の減少について異議を述べることができない。

014 □□□
平18-28-イ

資本金の額を減少するには、併せて株式の消却又は併合を行わなければならない。

株式会社の計算等

2 資本金・準備金・剰余金

× 010

資本金の額の減少により減少した資本金の額が、欠損の塡補に充てた金額を超えたとしても、その超過額（減資差益）を資本準備金として積み立てる必要はない（447、会社計規26Ⅰ①参照）。

× 011

会社法下では、資本と株式の関係は完全に切断されていることから、発行済株式総数と関係なく資本金の額を減少することができる。

× 012

株式会社が自己の株式を取得した場合であっても、資本金の額が減少することはない。

× 013

株式会社が資本金の額を減少する場合、資本金の額の減少を定時株主総会で決議し、減少する資本金の額が欠損の額を超えないときであっても、当該株式会社の債権者は、当該株式会社に対し、異議を述べることができる（449Ⅰ柱書本文）。

× 014

資本金の額を減少する場合（447）でも、併せて株式の消却又は併合をする必要はない。

015 ◻︎◻︎◻︎

資本金の額を減少するには株主総会の決議が必要であるが、資本準備金の額の減少については、取締役会設置会社にあっては取締役会の決議により行うことができる。

016 ◻︎◻︎◻︎

取締役会設置会社の計算等に関し、株式会社が資本金の額の減少と同時に株式の発行をする場合において、当該資本金の額の減少の効力が生ずる日後の資本金の額が当該日前の資本金の額を下回らないときは、当該資本金の額の減少は、取締役会の決議によってすることができる。

017 ◻︎◻︎◻︎

株式会社が資本金の額の減少をする場合には、当該株式会社は、その定款で電子公告を公告方法とする旨を定めているときであっても、官報による公告をしなければならない。

018 ◻︎◻︎◻︎

定款で公告方法を時事に関する事項を掲載する日刊新聞紙に掲載する方法とする旨を定める会社は、事故その他やむを得ない事由によってこの方法による公告をすることができない場合の公告方法として、官報に掲載する方法又は電子公告のいずれかを定めることができる。

× 015

株式会社が資本金の額を減少するには、447条3項に規定する場合を除き、株主総会の決議を要する（447Ⅰ）。また、取締役会設置会社において、資本準備金の額を減少する場合も、448条3項に規定する場合を除き、株主総会の決議を要する（448Ⅰ）。

○ 016

株式会社が株式の発行と同時に資本金の額を減少する場合において、当該資本金の額の減少の効力が生ずる日後の資本金の額が当該日前の資本金の額を下回らないときは、取締役の決定（取締役会設置会社にあっては、取締役会の決議）によって資本金の額を減少することができる（447Ⅲ・Ⅰ）。

○ 017

株式会社が資本金の額を減少する場合には、当該株式会社の債権者は、当該株式会社に対し、資本金の額の減少について異議を述べることができる（449Ⅰ柱書本文）。そして、この場合、一定の事項を官報に公告し、かつ、知れている債権者には、各別にこれを催告しなければならない（449Ⅱ柱書本文）。各別の催告は、することを要しない場合はあるが（449Ⅲ・939Ⅰ②③）、官報による公告は必ずしなければならない。

× 018

定款で時事に関する事項を掲載する日刊新聞紙に掲載する方法を公告方法とする旨を定めた場合、事故その他やむを得ない事由によって時事に関する事項を掲載する日刊新聞紙に掲載することができない場合の公告方法を定めることはできない（939Ⅲ参照）。

019 ☐☐☐

会社は、公告方法として、時事に関する事項を掲載する日刊新聞紙に掲載する方法を定款で定める場合に、「Ａ新聞又はＢ新聞」と定めることはできない。

020 ☐☐☐

取得条項付株式の取得と引換えに他の種類の株式を新たに発行する場合には、当該株式会社の資本金の額が増加するが、取得条項付新株予約権の取得と引換えに株式を新たに発行する場合には、当該株式会社の資本金の額は増加しない。

準備金

---

021 ☐☐☐

資本金の額を減少するには債権者保護手続をとる必要があるが、資本準備金の額の減少については債権者保護手続をとる必要がない場合がある。

剰余金

---

022 ☐☐☐

株式会社は、自己株式について剰余金の配当をすることができないが、その有する親会社株式について剰余金の配当を受けることはできる。

○ **019**

公告方法は、具体的に定められていなければ株主その他利害関係人がどの媒体に公告されているかを判断することができないため、具体的でない選択的な定め方、例えば「A紙又はB紙」のような定め方をすることはできない（大5.12.19民甲1952号）。

× **020**

取得条項付株式の取得と引換えに他の種類の株式を新たに発行する場合、資本金の額は増加しない（会社計規15Ⅰ②）。一方、取得条項付新株予約権の取得と引換えに株式を新たに発行する場合には、資本金の額は増加する（会社計規18参照）。

○ **021**

資本金の額の減少をする場合も準備金の額の減少をする場合も、債権者保護手続をとる必要がある（449Ⅰ）。しかし、準備金の額を減少する場合においては例外として、①その減少する準備金の額の全部を資本金とする場合（449Ⅰ括弧書）、②定時株主総会の決議による準備金の額の減少であって、欠損の額を超えない場合（449Ⅰ但書）は、債権者保護手続をとる必要はない。

○ **022**

株式会社は、自己株式について剰余金の配当をすることはできない（453括弧書）。他方、子会社が保有する親会社株式について剰余金の配当を受けることはできる。

株式会社（監査等委員会設置会社及び指名委員会等設置会社を除く。）が剰余金の額を減少して資本金の額を増加するには、株主総会の決議によって、減少する剰余金の額及び効力発生日を定めなければならない。

取締役会設置会社の計算等に関し、剰余金の配当に関する事項を取締役会が定めることができる旨を定款で定めることができる株式会社は、剰余金の額を減少して資本金の額を増加することを取締役会が定めることができる旨を定款で定めることができる。

株式会社においては、剰余金の額を減少してする資本金の額の増加は、資本金の額につき変更の登記がされた日ではなく、株主総会の決議によって定めた日に効力が生ずる。

株式会社が利益剰余金の額を減少して利益準備金の額を増加するには、当該株式会社が取締役会設置会社であっても、株主総会の決議を要する。

○ **023**

株式会社は、剰余金の額を減少して、資本金の額を増加すること
ができる。この場合、株主総会の決議により、減少する剰余金の
額及び資本金の額の増加がその効力を生ずる日を定めなければな
らない（450Ⅱ）。

× **024**

剰余金の配当に関する事項を取締役会が定めることができる旨を
定款で定めることができる株式会社であっても、剰余金の額を減
少して、資本金の額を増加するときは、株主総会の普通決議によ
る必要がある（459Ⅰ・450参照）。

○ **025**

株式会社は、剰余金の額を減少して、資本金の額を増加する場合、
株主総会の決議によって①減少する剰余金の額、②資本金の額の
増加がその効力を生ずる日を定めなければならず（450Ⅰ・Ⅱ）、
当該資本金の額の増加は当該決議により定めた日に効力が生ず
る。

○ **026**

株式会社は、取締役会設置会社であっても、株主総会の決議によ
らなければ、利益剰余金の額を減少して、利益準備金の額を増加
させることができない（451Ⅰ・Ⅱ・309Ⅰ）。

株式会社は、その株主に対し剰余金の配当をする場合には、これを取締役会の決議によってするとき及び当該株式会社の純資産額が300万円を下回るときを除き、事業年度の末日を基準日として定めて、当該基準日において株主名簿に記載されている株主をその権利を行使することができる者と定めなければならない。

剰余金の配当に関する事項を取締役会が定めることができる旨の定款の定めがある会計監査人設置会社（監査等委員会設置会社及び指名委員会等設置会社を除く。）は、株主総会の決議によって、剰余金の配当に関する事項を定めることはできない。

純資産額が300万円を下回らない株式会社における剰余金の配当に関して、指名委員会等設置会社は、配当財産を金銭以外の財産とし、かつ、株主に対して金銭分配請求権を与えないこととする旨を取締役会が定めることができることを内容とする定款の定めを設けることができる。

会計監査人を設置していない株式会社であっても、定款で定めることにより、取締役会の決議によって剰余金の配当をすることができる場合がある。

✕ 027

株式会社は、一定の日を定めて、基準日において株主名簿に記載され、又は記録されている株主（基準日株主）をその権利を行使することができる者と定めることができる（124Ⅰ）。

✕ 028

本肢のような定款の定めのある株式会社では、剰余金の配当に関する事項を株主総会の決議によっても定めることができる。なお、剰余金の配当に関する事項を株主総会の決議によっては定めない旨を定款で定めた場合には、剰余金の配当に関する事項を株主総会の決議によって定めることができない。

✕ 029

取締役会の決議によって剰余金の配当をすることができる旨を定款で定めることができる場合がある（459Ⅰ④本文・454Ⅰ・Ⅳ）。しかし、配当財産を金銭以外の財産とし、かつ、株主に対して金銭分配請求権を与えないこととする場合には、株主の利害が大きいことから株主総会の特別決議で決定しなければならず、取締役会の決議に委ねることはできない（459Ⅰ④但書・309Ⅱ⑩）。

◯ 030

会計監査人設置会社以外の株式会社であっても、取締役会設置会社であれば定款で定めることにより、1事業年度の途中において1回に限り取締役会の決議によって剰余金の配当をすることができる（中間配当　454Ⅴ）。

株式会社がその子会社の株式を配当財産とする剰余金の配当をしようとする場合には、株主総会の決議によって、一定の数未満の数の株式を有する株主に対して配当財産の割当てをしないこととする旨を定めることができる。

株式会社においては、純資産額が300万円以上であっても、資本金の額が300万円以上でない限り、剰余金の配当をすることはできない。

株式会社が新設分割をする場合において、新設分割株式会社が新設分割設立株式会社の成立の日に新設分割設立株式会社の株式のみを配当財産とする剰余金の配当をするときは、当該株式の帳簿価額の総額は、当該成立の日における新設分割株式会社の分配可能額を超えてはならない。

○ **031**

剰余金の配当において、配当財産が金銭以外の財産であるときは、株式会社は、株主総会の決議によって、一定の数未満の数の株式を有する株主に対して配当財産の割当てをしないこととする旨を定めることができる（454Ⅳ②）。

✕ **032**

株式会社の純資産額が300万円を下回る場合には、株式会社は剰余金の配当をすることはできない（458・453）。株式会社の純資産額が300万円以上であれば、資本金の額が300万円以上でなくても、剰余金の配当をすることができる。

✕ **033**

剰余金の配当により株主に対して交付する金銭等の帳簿価額の総額は、当該行為がその効力を生ずる日における分配可能額を超えてはならない（461Ⅰ⑧）。しかし、新設分割株式会社が新設分割設立株式会社の成立の日に、配当財産が新設分割設立株式会社の株式のみである剰余金の配当を行う場合には同条の適用はない（812②・763Ⅰ⑫ロ・765Ⅰ⑧ロ）。

分配可能額を超えた剰余金の配当に関して

034 ▢▢▢   平23-32-エ

株式会社が、剰余金の配当により、株主に対し分配可能額を超える額の金銭を交付した場合には、当該剰余金の配当に関する職務を行った業務執行取締役は、当該株式会社に対し、当該金銭の額から分配可能額を控除した額の金銭を支払う義務を負う。

035 ▢▢▢   平31-32-イ

純資産額が300万円を下回らない株式会社における剰余金の配当に関して、株式会社が分配可能額を超えて剰余金の配当をした場合において当該剰余金の配当に関する職務を行った業務執行者が当該株式会社に対して負う金銭支払義務は、総株主の同意があるときは、その全額を免除することができる。

036 ▢▢▢   平31-32-ウ

純資産額が300万円を下回らない株式会社における剰余金の配当に関して、株式会社が分配可能額を超えて剰余金の配当をした場合には、当該株式会社の債権者は、当該剰余金の配当を受けた株主に対し、当該債権者が当該株式会社に対して有する債権額を限度として、当該株主が交付を受けた配当財産の帳簿価額に相当する金銭を支払わせることができる。

× | 034

株式会社が、剰余金の配当により株主に対して交付する金銭等の帳簿価額の総額は、剰余金の配当がその効力を生ずる日における分配可能額を超えてはならない（461Ⅰ⑧）。これに違反して剰余金の配当を行った場合には、剰余金の配当に関する職務を行った業務執行取締役は、当該金銭等の交付を受けた者が交付を受けた金銭等の帳簿価額に相当する金銭を支払う義務を負う（462Ⅰ柱書）のであって、交付を受けた金銭の額から分配可能額を控除した額の金銭を支払う義務を負うのではない。

× | 035

株式会社が分配可能額を超えて剰余金の配当をした場合において当該剰余金の配当に関する職務を行った業務執行者が当該株式会社に対して負う金銭支払義務は、総株主の同意があるときは、当該剰余金の配当を行った時における分配可能額を限度として免除することができるが、分配可能額を超える部分については、総株主の同意によっても免除することはできない（462Ⅲ・Ⅰ⑥・461Ⅰ⑧）。

○ | 036

株式会社が分配可能額を超えて剰余金の配当をした場合には、当該株式会社の債権者は、当該剰余金の配当を受け、金銭支払義務を負う株主に対し、その交付を受けた金銭等の帳簿価額（当該額が当該債権者の株式会社に対して有する債権額を超える場合にあっては、当該債権額）に相当する金銭を支払わせることができる（463Ⅱ・462Ⅰ）。

LEC 司法書士

最新情報をキャッチ！ 公式 SNS

LEC司法書士公式アカウントでは、
最新の司法書士試験情報やお知らせ、イベント情報など、
司法書士試験に関する様々なお役立ちコンテンツを発信していきます。
ぜひチャンネル登録＆フォローをよろしくお願いします。

● 公式 **X**（旧Twitter）
https://twitter.com/LECshihoushoshi

● 公式 **YouTube**チャンネル
https://www.youtube.com/@LEC-shoshi

● **Note**
https://note.com/lec_shoshi

第6編

事業譲渡

001 □□□

株式会社が事業の全部の譲渡をする場合、当該株式会社の新株予約権の新株予約権者は、当該株式会社に対し、その新株予約権を公正な価格で買い取ることを請求することができる。

002 □□□

株式会社がその事業の全部を賃貸するとの契約を締結するときは、株主総会の決議によって、その承認を受けなければならない。

003 □□□

株式会社が事業の重要な一部の譲渡をする場合であっても、いわゆる簡易事業譲渡の要件を満たすときは、株主総会の決議による承認を受ける必要がない。

004 □□□

株式会社は、株主総会の決議によって承認を受けなくても、他の会社の事業の一部を譲り受けることができる。

✕ **001**

株式会社が事業譲渡をする際に、当該株式会社の新株予約権の新株予約権者が当該株式会社に対して、新株予約権買取請求ができる旨の規定は置かれていない。

○ **002**

株式会社は、その事業の全部を賃貸するとの契約を締結する場合には、その効力発生日の前日までに、株主総会の決議によって、その承認を受けなければならない（467Ⅰ④）。

○ **003**

株式会社は、事業の重要な一部の譲渡をする場合には、原則として、株主総会の決議によって、当該譲渡に係る契約の承認を受けなければならない（467Ⅰ②）。しかし、当該譲渡により譲り渡す資産の帳簿価額が当該株式会社の総資産額の5分の1を超えない場合（簡易事業譲渡）には、株主総会の決議によって、当該譲渡に係る契約の承認を受けることを要しない（467Ⅰ②括弧書）。

○ **004**

株式会社は、他の会社（外国会社その他の法人を含む。）の事業の全部の譲受けをする場合には、当該行為がその効力を生ずる日の前日までに、株主総会の特別決議によって、当該行為に係る契約の承認を受けなければならない（467Ⅰ③・309Ⅱ⑪参照）が、事業の「一部」の譲受けをする場合は、譲受会社において株主総会の承認を要しない。

事業譲渡

❶ 事業譲渡

株式会社が子会社Aに対して子会社Bの株式の一部を譲渡する場合には、当該譲渡により譲り渡す株式の帳簿価額が当該株式会社の総資産額として法務省令で定める方法により算定される額の5分の1を超え、当該譲渡の効力発生日において子会社Bの議決権の総数の過半数の議決権を有しないときであっても、株主総会の決議による承認を受ける必要はない。

他の会社の事業の全部の譲受けをする株式会社の債権者は、当該株式会社に対し、当該譲受けについて異議を述べることができる。

株式会社が事業を譲渡する場合において、その対価は金銭に限定される。

株式会社が事業を譲渡する場合において、譲渡会社の事業譲渡契約の相手方も、会社でなければならない。

株式会社が事業を譲渡する場合において、譲渡会社は、その本店の所在地において事業譲渡による変更の登記をする必要はない。

× **005**

株式会社は、その子会社の株式又は持分の全部又は一部の譲渡を
する場合において、①当該譲渡により譲り渡す株式又は持分の帳
簿価額が当該株式会社の総資産額の5分の1を超えるとき、②当
該株式会社が、効力発生日において当該子会社の議決権の総数の
過半数の議決権を有しないとき、のいずれにも該当する場合には、
株主総会の決議によって、当該譲渡に係る契約の承認を受けなけ
ればならない（467Ⅰ②の2、会社施規134）。この点、②につ
いては、当該株式会社が直接有する議決権に限られるため、当該
株式会社が子会社の株式又は持分を他の子会社に譲渡することに
より、間接保有の子会社とする場合であっても、当該承認を受け
なければならない。

× **006**

会社法上、事業の譲渡又は譲受け等について債権者に異議を認め
る特別な手続は定められていない。

× **007**

事業譲渡の対価は、金銭が通常であるが、譲受会社の株式等金銭
以外のこともある。

× **008**

会社は商人に対してその事業を譲渡することができる（24Ⅰ）。
したがって、譲渡会社の事業譲渡契約の相手方は、会社には限ら
れない。

○ **009**

事業譲渡をする場合において、譲渡会社は、変更の登記をするこ
とを要しない。

010 ☐☐☐　　　　　　　　　　　　　　　　　令3-32-ア

株式会社が事業の全部の譲渡をする場合において、株主総会において当該事業譲渡の承認と同時に会社の解散が決議されたときは、当該事業譲渡に反対した株主は、当該株式会社に対し、自己の有する株式を買い取ることを請求することができる。

011 ☐☐☐　　　　　　　　　　　　　　　　　令3-32-オ

株式会社が他の法人の事業の全部の譲受けをする場合において、譲り受ける資産に当該株式会社の株式が含まれるときは、当該株式会社の取締役は、当該事業の全部の譲受けに係る契約の承認を受ける株主総会において、当該株式に関する事項を説明しなければならない。

012 ☐☐☐　　　　　　　　　　　　　　　　　平24-32-イ

事業譲渡をする株式会社は、事業譲渡の効力が生ずる日から6か月間、事業譲渡に係る契約の内容等を記載し、又は記録した書面又は電磁的記録を当該株式会社の本店に備え置かなければならない。

013 ☐☐☐　　　　　　　　　　　　　　　　　平24-32-ウ

譲受会社が譲渡会社の特別支配会社であるいわゆる略式事業譲渡について、当該事業譲渡が法令又は定款に違反する場合において、譲渡会社の株主が不利益を受けるおそれがあるときは、譲渡会社の株主は、譲渡会社に対し、当該事業譲渡をやめることを請求することができる。

× **010**

株式会社が事業の全部の譲渡をする場合には、当該事業譲渡を承認する株主総会の決議と同時に解散についての株主総会の決議がされたときを除き、反対株主は、事業譲渡をする株式会社に対し、自己の有する株式を公正な価格で買い取ることを請求することができる（469Ⅰ①・467Ⅰ①・471③）。

○ **011**

株式会社が、他の会社の事業の全部の譲受けをする場合には、株主総会の決議によって、当該事業の全部の譲受けに係る契約の承認を受けなければならない（467Ⅰ③）。そして、この場合において、譲り受ける資産に当該株式会社の株式が含まれるときは、取締役は、当該事業の全部の譲受けに係る契約を承認する株主総会において、当該株式に関する事項を説明しなければならない（467Ⅱ・Ⅰ③）。

× **012**

事業譲渡においては、事業譲渡に係る契約の事前又は事後における備置や開示等の手続は要求されていない。

× **013**

株主は、組織再編行為が法令及び定款に違反する場合であり、当該行為によって株主が不利益を受けるおそれがあるときは、簡易な手続により組織再編を行う場合を除き、当該行為をやめることを請求することができる（784の2①・796の2①）。これに対して、略式事業譲渡においては、このような株主による差止請求権は認められていない。

株式会社が事業の全部を譲渡する場合において、事業譲渡契約の
相手方が譲渡会社の特別支配会社であるときには、株主総会の決
議によって当該事業譲渡契約の承認を受ける必要はない。

譲受会社が譲渡会社の特別支配会社であるいわゆる略式事業譲渡
をする場合には、譲渡会社の株主は、当該譲渡会社に対し、自己
の有する株式を公正な価格で買い取ることを請求することができ
ない。

譲渡会社が株主総会の決議によって事業譲渡に係る契約の承認を
受けなければならないにもかかわらず、事前又は事後のいずれに
おいても株主総会の承認の手続をしていない場合には、当該事業
譲渡に係る契約は、無効である。

事業の譲渡をする株式会社は、当該事業を構成する債務を事業の
譲受けをする株式会社に移転させるためには、個別にその債権者
の同意を得なければならない。

株式会社の事業により生じた債務につき事業譲渡によって免責的
債務引受けをする場合には、債権者の同意を得なければならない。

○ **014**

株式会社が事業の全部を譲渡する場合において、当該行為に係る契約の相手方が当該株式会社の特別支配会社である場合には、当該株式会社において、株主総会の決議を省略することができる（468Ⅰ・467Ⅰ①、会社施規136）。

× **015**

譲受会社が譲渡会社の特別支配会社である略式事業譲渡をする場合には、株主総会による事業譲渡契約の承認は不要とされている（468Ⅰ）。そして、この場合においては、株主総会が招集されないことと引換えに、すべての株主（略式手続により事業譲渡等をする場合における当該特別支配会社を除く。）に株式買取請求権が付与されている（469Ⅰ・Ⅱ②）。

○ **016**

譲渡会社が株主総会の決議によって事業譲渡に係る契約の承認を受けなければならないにもかかわらず、株主総会による承認の手続をしていない場合、当該事業譲渡に係る契約は、無効である（最判昭61.9.11）。

○ **017**

事業譲渡は、株式会社が事業を取引行為（特定承継）として他に譲渡する行為であり、当該事業を構成する債務を移転させるためには、個別にその契約の相手方の同意を得なければならない。

○ **018**

事業譲渡は、合併や会社分割とは異なり、包括承継によって権利義務が移転するものではないため、事業譲渡によって契約上の地位の移転又は免責的債務引受けをする場合には、個別に契約の相手方又は債権者の同意を得なければならない。

子会社は、他の株式会社の事業の一部を譲り受ける場合には、当該他の株式会社の有する親会社の株式を譲り受けて取得することはできない。

定款に別段の定めがあるときを除き、株式会社が事業の重要な一部の譲渡により譲り渡す資産の帳簿価額がその総資産額として法務省令で定める方法により算出される額の5分の1を超えない場合には、当該株式会社は、事業の重要な一部の譲渡に反対する株主の株式買取請求に応じる必要はない。

子会社は、他の会社の事業の全部を譲り受ける場合において当該他の会社の有する親会社株式を譲り受けることができる（135Ⅱ①）。しかし、他の会社の一部を譲り受ける場合には当該他の会社の有する親会社の株式を譲り受けることはできない（135Ⅰ）。

株式会社が事業の重要な一部の譲渡により譲り渡す資産の帳簿価額が、当該株式会社の総資産額として法務省令で定める方法により算出される額の5分の1を超えない場合には、当該事業譲渡は、469条1項に規定する事業譲渡等には含まれないため（467Ⅰ参照）、株主は株式買取請求権を有しない。

事業譲渡

❶ 事業譲渡

第7編

設立

1 手続の概略

平24-27-ア

001 □□□

株式会社は、発起人がいなければ、設立することができない。

平24-27-エ（令5-27-イ）

002 □□□

未成年者は、発起人となることができない。

平26-27-ア

003 □□□

営利を目的としない法人も、発起人となることができる。

平21-27-5

004 □□□

A、B及びCが発起設立の方法によってD株式会社の設立を企図している場合において、Aが合同会社である場合には、D株式会社の発起人となることができない。

✕ 001

株式会社を設立するには、発起設立、募集設立いずれの方法による場合においても、発起人が定款を作成することを要する（26 Ⅰ）。ただし、新設合併、新設分割、株式移転による株式会社の設立の場合には、発起人は不要である（753〜・762〜・772〜参照）。

✕ 002

発起人の資格に制限はないため、未成年者その他の制限行為能力者も発起人となることができる。

◯ 003

法人は、私法人、公法人、営利法人、非営利法人のいずれであるかを問わず、株式会社の発起人となることができる。

✕ 004

発起人は自然人に限られておらず、法人も発起人になることができる（27⑤参照）。

設立

❶ 手続の概略

❷ 定款の作成

005 ☐☐☐　　　　　　　　　　　　　　　平29-27-エ

発起人は、定款を発起人が定めた場所に備え置かなければならず、設立時募集株式の引受人は、設立時募集株式の払込金額の払込みを行う前であっても、発起人が定めた時間内は、いつでも、当該定款の閲覧の請求をすることができる。

006 ☐☐☐　　　　　　　　　　　　　　　平25-27-ア

株式会社の設立に関して、定款には、会社の本店の所在地として、日本国外の地を記載し、又は記録することはできない。

007 ☐☐☐　　　　　　　　　　　　　平19-28-イ改題

株式会社の定款には、成立後の会社の資本金の額に関する事項を記載しなければならない。

008 ☐☐☐　　　　　　　　　　　　　　　令5-28-エ

株式会社の資本金の額は、定款で定める必要はない。

009 ☐☐☐　　　　　　　　　　　　　　　平31-27-イ

定款に成立後の株式会社の資本金及び資本準備金の額に関する事項についての定めがない場合において、株式会社の設立に際して当該事項を定めようとするときは、発起人は、その全員の同意を得なければならない。

○ **005**

発起人は、定款を発起人が定めた場所に備え置かなければならない（31Ⅰ）。そして、設立時募集株式の引受人は、発起人が定めた時間内は、いつでも、定款の閲覧の請求をすることができる（102Ⅰ本文・31Ⅱ①・③）。

○ **006**

株式会社の本店の所在地は、定款の絶対的記載事項である（27③）。この点、当該株式会社の本店の所在地は様々な訴えの専属管轄地となるため（835Ⅰ参照）、わが国において設立する株式会社の本店の所在地を日本国外に置くことはできない。

× **007**

資本金の額に関する事項は定款の必要的記載事項とされていない（27・576Ⅰ参照）。

○ **008**

株式会社の定款には、①目的、②商号、③本店の所在地、④設立に際して出資される財産の価額又はその最低額、⑤発起人の氏名又は名称及び住所を記載し、又は記録しなければならない（27各号）。しかし、資本金の額は、定款で定めることを要しない（27参照）。

○ **009**

発起人は、株式会社の設立に際して、成立後の株式会社の資本金及び資本準備金の額に関する事項（定款に定めがある場合を除く。）を定めようとするときは、その全員の同意を得なければならない（32Ⅰ③）。

設立

❷ 定款の作成

010 □□□ 平24-27-オ

発行可能株式総数を定めていない定款について公証人の認証を受けた後、株式会社の成立前に定款を変更してこれを定めたときは、改めて変更後の定款について公証人の認証を受けることを要しない。

011 □□□ 平19-28-ア改題

株式会社を設立するには、発起人が定款を作成し、その全員がこれに署名し、又は記名押印しなければならない。

012 □□□ 平19-28-ウ改題

発起人は、会社の成立までの間、定款を発起人が定めた場所に備え置かなければならない。

013 □□□ 平13-30-エ（令3-27-エ）

定款に記載又は記録のない財産引受けであっても、成立後の会社が、株主総会の特別決議で追認すれば、有効となる。

014 □□□ 平19-28-エ改題

株式会社の設立に際して金銭以外の財産を出資する者がある場合には、定款に当該財産を記載しなければならない。

○ **010**

発起設立、募集設立、いずれの場合においても、公証人の認証後に発行可能株式総数の定めを設ける旨の変更をした定款について、改めて公証人の認証を受けることを要しない。

○ **011**

株式会社を設立するには、発起人が定款を作成し、その全員がこれに署名し、又は記名押印しなければならない（26Ⅰ）。

○ **012**

発起人（株式会社の成立後にあっては、当該株式会社）は、定款を発起人が定めた場所（株式会社の成立後にあっては、その本店及び支店）に備え置かなければならない（31Ⅰ）。

× **013**

定款に記載又は記録のない財産引受けは無効であり、会社成立後に株主総会の特別決議をもってこれを承認したとしても、有効となることはない（最判昭28.12.3）。

○ **014**

株式会社の設立に際して金銭以外の財産を出資する者がある場合には、金銭以外の財産を出資する者の氏名又は名称、当該財産及びその価額並びにその者に対して割り当てる設立時発行株式の数を定款に記載し、又は記録しなければならない（28①）。

発起設立の場合において、現物出資の目的財産である甲土地について定款に記載された価額が、2,000万円であって、財産引受けの目的財産である乙建物について定款に記載された価額が400万円であるときは、甲土地について定款に記載された価額が相当であることについて、監査法人の証明及び不動産鑑定士の鑑定評価を受けたときであっても、発起人は、乙建物に関する定款の記載事項を調査させるため、裁判所に対し、検査役の選任の申立てをしなければならない。

株式会社を設立する場合において、発起人に対して剰余金の配当を優先して受けることができる優先株式の割当てがされるときは、発起人が受ける特別の利益として定款に記載しなければ、その効力を生じない。

設立しようとする株式会社の定款に現物出資に関する定めがある場合において、裁判所は、検査役からの報告を受け、当該現物出資に係る事項を不当と認めたときは、当該現物出資に係る事項を変更する決定をしなければならない。

裁判所は、金銭以外の財産の出資に関する事項について裁判所が選任した検査役の報告を受けた場合において、当該検査役の調査を経た当該財産を出資する者に対して割り当てる設立時発行株式の数を不当と認めたときは、これを変更する決定をしなければならない。

○ **015**

発起人は、定款に記載された現物出資財産等の価額の「総額」が500万円を超える場合には、裁判所に対し、検査役の選任の申立てをしなければならない（33 I・28各号）。

× **016**

優先株式の優先権は、株式に帰属する属性であり、発起人に対し属人的に帰属するものではないから、発起人に対して剰余金の配当を優先して受けることができる優先株式の割当てがされるときであっても、発起人が受ける特別の利益として定款に記載することなく、その効力を生ずる。

○ **017**

裁判所は、検査役から変態設立事項に関する調査の報告を受けた場合において、当該調査の対象となった変態設立事項を不当と認めたときは、これを変更する決定をしなければならない（33Ⅶ）。

○ **018**

裁判所は、検査役の報告を受けた場合において、当該事項（33条2項の検査役の調査を経ていないものを除く。）を不当と認めたときは、これを変更する決定をしなければならない（33Ⅶ）。

設立

❷ 定款の作成

株式会社の発起設立の場合において、定款に現物出資に関する事項についての記載があるときに、当該事項を調査させるため裁判所に対し検査役の選任の申立てをしなければならないのは、設立時取締役である。

発起設立により株式会社を設立する場合、設立時取締役は、定款に記載された現物出資に関する事項について裁判所が選任した検査役による調査がされたときであっても、その出資の履行が完了していることを調査しなければならない。

株式会社を設立する場合において、成立後の株式会社が定款の認証の手数料を負担するには、その額を定款に記載し、又は記録しておかなければならない。

株式会社を設立する場合において、設立時発行株式と引換えにする金銭の払込みの取扱いをした銀行に支払うべき手数料を設立後の株式会社が負担するためには、当該手数料を定款に記載し、又は記録しなければならない。

✕ 019

発起人は、定款に現物出資に関する事項についての記載があるときは、当該定款の公証人の認証の後遅滞なく、当該事項を調査させるため、裁判所に対し、検査役の選任の申立てをしなければならない（33 I ・28各号・30 I）。

○ 020

設立時取締役は、その選任後遅滞なく、出資の履行が完了していることを調査しなければならない（46 I ③）。

✕ 021

定款の認証の手数料その他株式会社に損害を与えるおそれがないものとして法務省令で定めるものは、定款に記載し、又は記録しなくても、成立後の株式会社にその負担を帰属させることができる（28④括弧書、会社施規5）。

✕ 022

株式会社の負担する設立に関する費用は、定款に記載し、又は記録しなければ、成立後の株式会社にその負担を帰属させることができない（28④）。しかし、定款の認証の手数料その他株式会社に損害を与えるおそれがないものとして法務省令で定めるもの（株式払込取扱機関への手数料及び報酬等）は、定款に記載し、又は記録しなくても、成立後の株式会社にその負担を帰属させることができる（28④括弧書、会社施規5）。

設立

❷ 定款の作成

株式会社を設立する場合に、検査役の報酬は、発起人が作成する定款に記載しなければ、その効力を生じない。

募集設立の場合において、発起人以外の者は、金銭以外の財産の出資をすることができない。

発起設立の場合における設立時取締役の氏名は、定款に記載し、又は記録することを要しない。

Ａ、Ｂ及びＣが発起設立の方法によってＤ株式会社（以下「Ｄ社」という。）の設立を企図している場合において、Ｄ社が会社法上の公開会社でない場合には、公証人の認証を受けたＤ社の定款に発行可能株式総数の定めがないときであっても、Ｄ社の成立の時までに当該定款を変更して発行可能株式総数の定めを設ける必要はない。

発起設立の場合において、発起人が株式会社の成立の時までに公証人の認証を受けた定款を変更して発行可能株式総数の定めを設けるには、発起人の過半数の同意を得れば足りる。

× **023**

定款の認証の手数料その他株式会社に損害を与えるおそれがない
ものとして法務省令で定めるもの（①定款に係る印紙税、②株式
払込取扱機関への手数料及び報酬、③変態設立事項の調査をする
検査役への報酬、④株式会社の設立の登記の登録免許税）につい
ては、定款の記載事項から除かれる（28④括弧書、会社施規5）。

○ **024**

株式会社の設立の手続において、金銭以外の財産を出資すること
ができる者は、発起人に限られ、発起人以外の者は、金銭以外の
財産を出資することができない（34Ⅰ本文・58Ⅰ③・63Ⅰ参照）。

○ **025**

発起設立の場合、設立時取締役は、定款に定める方法又は発起人
の議決権の過半数により定める方法によって選任する（38Ⅰ・
40Ⅰ）。つまり、設立時取締役を選任するに当たり、必ずしも設
立時取締役の氏名を定款に記載又は記録することを要しない。

× **026**

発起設立において、発起人は、発行可能株式総数を定めていない
場合には、株式会社の成立の時までに、その全員の同意によって、
定款を変更して発行可能株式総数の定めを設けなければならない
（37Ⅰ）。これは、会社法上の公開会社であるか否かを問わない。

× **027**

発起設立の場合において、発起人が株式会社の成立の時までに公
証人の認証を受けた定款を変更して発行可能株式総数の定めを設
けるには、発起人の全員の同意を得なければならない（37Ⅰ）。

028　　　　　　　　　　　　　　　　平20-28-ウ（平30-27-ウ）

募集設立における発起人は、創立総会終了後において定款に発行可能株式総数の定めが設けられていない場合には、会社の成立の時までに、その全員の同意によって、定款を変更してその定めを設けなければならない。

029　　　　　　　　　　　　　　　　　　　　　　　平28-27-オ

公証人の認証を受けた定款を株式会社の成立後に変更する場合には、公証人の認証を受ける必要がない。

030　　　　　　　　　　　　　　　　　　　　　　　平28-27-ウ

株式会社の存続期間は、株式会社の成立後であっても、定款に定めることができる。

031　　　　　　　　　　　　　　　　　　　　　　　令3-34-ア

会社は、公告方法を電子公告とする場合には、定款で、電子公告を公告方法とする旨の定めのほか、電子公告に用いるウェブサイトのアドレスも定めなければならない。

✕ **028**

募集設立の場合、発起人は、設立時募集株式と引換えにする金銭の払込みの期日（期間を定めたときは、その期間の初日のうち最も早い日）以後は、発起人の全員の同意によって、定款の変更をすることはできず（95）、創立総会の決議により定款を変更して発行可能株式総数の定めを設けなければならない（98）。

○ **029**

認証を要するのは通常の設立における原始定款であり、株式会社の成立後の会社における定款変更に公証人による認証制度は適用されない（26・30Ⅰ・25Ⅰ①・②参照）。

○ **030**

株式会社は、その成立後、株主総会の決議によって、定款を変更することができる（466）。この点、株式会社は、強行法規や株式会社の基本的性質に反しない限り、定款で任意に存続期間を定めることができる（471①）。

✕ **031**

会社が電子公告を公告方法とする旨を定める場合には、電子公告を公告方法とする旨を定めれば足りる（939Ⅲ前段・Ⅰ③）。

設立

❷ 定款の作成

❸ 出資の履行

株式会社（種類株式発行会社を除く。）の設立において、定款に、現物出資をする者の氏名又は名称、現物出資の目的財産及びその価額並びにその者に対して割り当てる設立時発行株式の数に関する定めがない場合には、発起人は、その議決権の過半数をもって、これらの事項を決定することができる。

設立時発行株式の数は、発起設立の場合には、発起人の全員の同意によって定めるが、募集設立の場合には、創立総会の決議によって定める。

Ａ、Ｂ及びＣが発起設立の方法によってＤ株式会社（以下「Ｄ社」という。）の設立を企図している場合において、Ｄ社の定款について公証人の認証を受けた後、Ｂから金銭の出資に代えてＢの所有する不動産を出資したい旨の要請があったときは、Ｄ社の発起人全員の同意をもって当該定款を変更し、Ｂの出資に係る財産を当該不動産に変更することができる。

発起人は、設立時募集株式を、申込者が引き受けようとする設立時募集株式の数に応じて、均等に割り当てなければならない。

✕ 032

株式会社を設立する場合には、金銭以外の財産を出資する者の氏名又は名称、当該財産及びその価額並びにその者に対して割り当てる設立時発行株式の数（設立しようとする株式会社が種類株式発行会社である場合にあっては、設立時発行株式の種類及び種類ごとの数）は、定款に記載し、又は記録しなければ、その効力を生じない（28①）。

✕ 033

発起人は、株式会社の設立に際して、定款に定めがある事項を除き、発起人が割当てを受ける設立時発行株式の数を定めようとするときは、その全員の同意を得なければならない（32Ⅰ①）。これは、発起設立と募集設立とで異ならない。

✕ 034

発起設立において、公証人の認証を受けた定款は、株式会社の成立前は、①裁判所が変態設立事項の変更決定をした場合（33Ⅶ）、②裁判所が変更決定をした変態設立事項を発起人全員の同意で廃止する場合（33Ⅸ）、③発行可能株式総数を定める場合（37Ⅰ・Ⅱ）を除き、これを変更することはできない（30Ⅱ）。

✕ 035

発起人は、申込者に割り当てる設立時募集株式の数を、申込者が引き受けようとする設立時募集株式の数よりも減少することができる（60Ⅰ後段）。

設立

❸ 出資の履行

募集設立における発起人のうち出資の履行をしていない者がある
場合において、当該発起人に対し、期日を定め、当該期日までに出
資の履行をしなければならない旨の通知がされたときは、当該期
日までに出資の履行をしなかった発起人は、株主となる権利を失
う。

株式会社（種類株式発行会社を除く。）の募集設立の場合において、
設立時募集株式の引受人のうち払込期日に払込金額の全額の払込
みをしていない者があるときは、発起人は、当該引受人に対し、別
に定めた期日までに当該払込みをしなければならない旨を通知し
なければならず、その通知を受けた当該引受人は、その期日までに当該払込みをしないときは、当該払込みをすることにより設立時
募集株式の株主となる権利を失う。

発起人がその引き受けた設立時発行株式につきその出資に係る金
銭の払込みを仮装した場合において、当該発起人が株式会社に対
し払込みを仮装した当該金銭の全額の支払をしたときは、当該金
銭の額は、その他資本剰余金の額に計上される。

○ **036**

発起人のうち出資の履行をしていないものがある場合には、発起人は、当該出資の履行をしていない発起人に対して、期日を定め、その期日の2週間前までに当該出資の履行をしなければならない旨を通知しなければならない（36Ⅰ・Ⅱ）。そして、当該通知を受けた発起人は、定められた期日までに出資の履行をしないときは、当該出資の履行をすることにより設立時発行株式の株主となる権利を失う（36Ⅲ・Ⅰ）。

× **037**

募集設立の場合において、設立時募集株式の引受人は、設立時募集株式と引換えにする金銭の払込みの期日又はその期間内に、設立時募集株式の払込金額の全額の払込みを行わなければならず、当該設立時募集株式の払込金額の全額の払込みをしないときは、当該払込みをすることにより設立時募集株式の株主となる権利を当然に失う（63Ⅰ・Ⅲ）。

○ **038**

発起人がその引き受けた設立時発行株式につきその出資に係る金銭の払込みを仮装した場合において、当該発起人が株式会社に対し、払込みを仮装した出資に係る金銭の全額の支払をしたときは、当該金銭の額は、その他資本剰余金の額に計上される（52の2Ⅰ①・34Ⅰ、会社計規21②）。

設立

3 出資の履行

発起設立の場合において、設立時発行株式1株のみを引き受けた発起人が、出資の履行をせず、設立時発行株式の株主となる権利を失ったときであっても、他の発起人が引き受けた設立時発行株式につき出資した財産の価額が定款に記載された設立に際して出資される財産の価額又はその最低額を満たしているときは、株式会社の設立の無効事由とはならない。

株式会社の設立無効事由については、①出資額が定款で定めた出資額に不足していること（27④）、②発起人の中に株式を1株も引き受けていない者がいること（25Ⅱ）等が挙げられる。

設立

❸ 出資の履行

4 機関の具備

040 □□□   平23-27-エ

設立しようとする会社が取締役会設置会社(指名委員会等設置会社を除く。)である場合には、設立時取締役は、その過半数をもって設立時代表取締役を選定しなければならない。

041 □□□   平22-27-エ(平8-27-5)

設立時取締役は、発起設立の場合には、発起人の全員の同意によって選任されるが、募集設立の場合には、創立総会の決議によって選任される。

042 □□□   平29-27-イ

発起設立の方法によって株式会社を設立する場合において、定款で設立時取締役を定めたときは、当該設立時取締役として定められた者は、当該定款につき公証人の認証を受けた時に、設立時取締役に選任されたものとみなされる。

043 □□□   平23-27-ウ

発起設立の場合、設立時取締役の解任は、発起人全員の同意によってしなければならない。

○ **040**

設立時取締役は、設立しようとする株式会社が取締役会設置会社（指名委員会等設置会社を除く。）である場合には、設立時取締役の中から株式会社の設立に際して設立時代表取締役を選定しなければならない（47Ⅰ）。そして、この場合の設立時代表取締役の選定は、設立時取締役の過半数をもって決定する（47Ⅲ）。

× **041**

発起設立の場合、設立時取締役の選任は、発起人の議決権の過半数をもって決定する（40Ⅰ）。これに対して、募集設立の場合、設立時取締役の選任は、創立総会の決議によって行わなければならない（88Ⅰ）。

× **042**

発起設立において、定款で設立時取締役、設立時会計参与、設立時監査役又は設立時会計監査人として定められた者は、出資の履行が完了した時に、それぞれ設立時取締役、設立時会計参与、設立時監査役又は設立時会計監査人に選任されたものとみなされる（38Ⅳ）。

× **043**

発起設立の場合、設立時役員等の解任は、発起人の議決権の過半数（設立時監査等委員である設立時取締役又は設立時監査役を解任する場合にあっては、3分の2以上に当たる多数）をもって決定する（43Ⅰ）。

設立

4 機関の具備

株式会社（種類株式発行会社を除く。）の発起設立の場合には、発起人は、会社の成立の時までの間、その議決権の３分の２以上に当たる多数をもって、その選任した設立時監査役を解任することができる。

設立時監査役を解任する場合には、発起人の議決権の3分の2以上に当たる多数をもって決定する（43Ⅰ括弧書）。

設立

❹ 機関の具備

---

045 ☐☐☐　　　　　　　　　　　　平22-27-イ（令5-27-エ）

発起人は、払込みの取扱いをした銀行、信託会社その他これに準ずるものとして法務省令に定めるものに対し、発起設立の場合には、払い込まれた金額に相当する金銭の保管に関する証明書の交付を請求することができないが、募集設立の場合には、当該証明書の交付を請求することができる。

---

046 ☐☐☐　　　　　　　　　　　　　　　　　平29-27-ア

発起設立の方法によって株式会社を設立する場合において、発起人が引き受けた設立時発行株式につきその出資に係る金銭の払込みを受けた銀行は、当該株式会社の成立前に発起人に払込金の返還をしても、当該払込金の返還をもって成立後の株式会社に対抗することができない。

---

047 ☐☐☐　　　　　　　　　　　　　　　　　平30-27-エ

発起設立の場合において、発起人は、株式会社の成立前に、払込みの取扱いをした銀行から払込金の返還を受け、返還を受けた払込金をもって株式会社の設立の登記の登録免許税を支払うことができる。

---

048 ☐☐☐　　　　　　　　　　　　　　　　　平20-28-ア

募集設立における設立時取締役は、その選任後、会社の設立の手続を調査した結果、その手続が法令又は定款に違反していないものと認める場合であっても、その調査結果を創立総会に報告しなければならない。

○ 045

募集設立の場合には、発起人は、払込みの取扱いをした銀行等に対し、払い込まれた金額に相当する金銭の保管に関する証明書の交付を請求することができる（64 I）。これに対して、発起設立の場合には、これと同様の規定は置かれていない。

× 046

募集設立の場合には、金銭の保管に関する証明書を交付した銀行等は、当該証明書の記載が事実と異なること又は払い込まれた金銭の返還に関する制限があることをもって成立後の株式会社に対抗することができない（64 II）。これに対して、発起設立の場合には、このような制度は設けられていない。

○ 047

発起設立の場合には、募集設立の場合と異なり、払込取扱機関による払込金保管証明制度（64参照）がなく、設立登記の申請時においても、いったん払込みがされた事実を預金通帳等で証明することができればよいため、発起人は、会社成立前に、払込金を引き出して設立費用に用いることができる。

○ 048

募集設立の場合、設立時取締役（設立しようとする株式会社が監査役設置会社である場合にあっては、設立時取締役及び設立時監査役）は、その選任後遅滞なく、93条1項各号の事項を調査し、当該調査の結果を常に創立総会に報告しなければならない（93 II）。

設立

5 募集による設立

創立総会においては、その招集通知に設立の廃止の議題の記載又
は記録がない場合でも、設立の廃止の決議をすることができる。

創立総会においては、発起人が当該創立総会の目的として定めた
事項であるかどうかにかかわらず、定款の変更又は株式会社の設
立の廃止について決議をすることができる。

募集設立により設立しようとする会社が、その発行する全部の株
式の内容として譲渡による当該株式の取得について当該会社の承
認を要する旨の定款の定めを設ける定款の変更を行うには、設立
時株主全員の同意を得なければならない。

設立時募集株式の引受人は、創立総会に出席して議決権を行使し
た後は、その引受けが詐欺によることを理由として、その引受けを
取り消すことができない。

○ **049**

創立総会において設立廃止の決議をする場合、招集通知にその旨の記載又は記録を要しない（73Ⅳ但書）。

○ **050**

創立総会は、創立総会の目的である事項以外の事項については、決議をすることができない（73Ⅳ本文・67Ⅰ②）。しかし、定款の変更又は株式会社の設立の廃止については、招集通知に特にその旨の記載がなくても、常に決議をすることができる（73Ⅳ但書）。

× **051**

募集設立により設立しようとする株式会社が、その発行する全部の株式の内容として譲渡による当該株式の取得について当該株式会社の承認を要する旨の定款の定めを設ける定款の変更を行う場合には、当該創立総会において議決権を行使することができる設立時株主の半数以上であって、当該設立時株主の議決権の3分の2以上に当たる多数をもって行わなければならない（73Ⅱ）。

○ **052**

設立時募集株式の引受人は、株式会社の成立後又は創立総会もしくは種類創立総会において議決権を行使した後は、錯誤、詐欺又は強迫によることを理由として、その設立時発行株式の引受けを取り消すことができない（102Ⅵ）。

5 募集による設立

6 設立関与者の責任

募集設立の場合には、株式会社の成立の時における現物出資財産の価額が当該現物出資財産について定款に記載された価額に著しく不足するときであっても、当該現物出資財産の給付を行った発起人以外の発起人は、その職務を行うについて注意を怠らなかったことを証明したときは、当該株式会社に対し、当該不足額を支払う義務を負わない。

発起設立において、株式会社の成立の時における現物出資財産の価額が当該現物出資財産について定款に記載された価額に著しく不足する場合には、設立時取締役は、その職務を行うについて注意を怠らなかったことを証明したときであっても、当該株式会社に対し、当該不足額を支払う義務を負う。

株式会社の成立の時における現物出資財産の価額が当該現物出資財産について定款に記載された価額に著しく不足する場合には、定款に記載された価額が相当であることについて証明をした弁護士は、当該証明をするについて注意を怠らなかったことを証明したときを除き、当該不足額を支払う義務を負う。

× **053**

募集設立においては、現物出資財産の給付を行った発起人以外の発起人は、その職務を行うについて注意を怠らなかったことを証明したとしても、当該不足額を支払う義務を免れることはできない。

× **054**

発起人及び設立時取締役がその職務を行うについて注意を怠らなかったことを証明した場合には、発起人（現物出資財産を給付した者又は財産の譲渡人を除く。）及び設立時取締役は、当該不足額を支払う義務を負わない（52Ⅱ・28①・②・33Ⅱ）。

○ **055**

株式会社の成立の時における現物出資財産等の価額が当該現物出資財産等について定款に記載され、又は記録された価額に著しく不足する場合には、定款に記載され、又は記録された価額が相当であることについて証明をした弁護士等は、当該証明をするについて注意を怠らなかったことを証明したときを除き、発起人及び設立時取締役と連帯して、当該不足額を支払う義務を負う（52Ⅲ・Ⅰ・33X③）。

設立

6 設立関与者の責任

発起人がその引き受けた設立時発行株式につきその出資に係る金銭の払込みを仮装した場合には、当該発起人以外の発起人であってその出資の履行を仮装することに関与した者は、その職務を行うについて注意を怠らなかったことを証明したときであっても、株式会社に対し、払込みが仮装された当該金銭の全額の支払をする義務を負う。

設立時発行株式を引き受ける者の募集の広告に株式会社の設立を賛助する旨及び自己の氏名又は名称を記載することを承諾した者は、株式会社が成立しなかったときは、発起人と連帯して、その設立に関してした行為について責任を負う。

発起人は、株式会社が成立しなかった場合であっても、設立時募集株式の引受人があるときは、当該株式会社の設立に関して支出した費用を負担しない。

発起人がその引き受けた設立時発行株式につきその出資に係る金銭の払込みを仮装した場合には、その出資の履行を仮装することに関与した発起人は、株式会社に対し、払込みを仮装した出資に係る金銭の全額の支払をする義務を負う（52の2Ⅱ本文・Ⅰ①、会社施規7の2）。しかし、その者（当該出資の履行を仮装したものを除く。）がその職務を行うについて注意を怠らなかったことを証明した場合は、当該義務を負わない（52の2Ⅱ但書）。

○ 057

募集設立において、当該募集の広告その他当該募集に関する書面又は電磁的記録に自己の氏名又は名称及び株式会社の設立を賛助する旨を記載し、又は記録することを承諾した者（発起人を除く。）は、発起人とみなす（103Ⅳ）。そして、株式会社が成立しなかったときは、発起人は、連帯して、株式会社の設立に関してした行為についてその責任を負い、株式会社の設立に関して支出した費用を負担する（56）。

× 058

株式会社が成立しなかったときは、発起人は、連帯して、株式会社の設立に関してした行為についてその責任を負い、株式会社の設立に関して支出した費用を負担する（56）。

設立

6 設立関与者の責任

Ａ、Ｂ及びＣが発起設立の方法によってＤ株式会社（以下「Ｄ社」という。）の設立を企図している。Ｄ社が成立した時において、Ｃが現物出資した不動産の価額が定款に記載された価額に著しく不足するときは、Ｄ社の発起人であるＡ、Ｂ及びＣは、いずれも、その職務を行うことについて注意を怠らなかったことを証明しなければ、総株主の同意がない限り、Ｄ社に対し、連帯して、当該不足額を支払う義務を負う。

発起人がその引き受けた設立時発行株式につきその出資に係る金銭の払込みを仮装した場合において、当該発起人が株式会社に対し払込みを仮装した当該金銭の全額の支払をする義務は、総株主の同意がなければ、免除することができない。

株式会社（種類株式発行会社を除く。）の発起人が会社の設立についてその任務を怠ったことにより会社に対して負う損害賠償責任は、当該発起人が職務を行うにつき善意で、かつ、重大な過失がない場合でも、株主総会の特別決議によって免除することはできない。

設立時監査役が設立時募集株式の発行に係る払込みを仮装するため預合いを行ったときは、預合いの罪は成立しない。

× 059

現物出資財産の給付者又は財産引受けの財産の譲渡人を除き、現物出資財産等について検査役の調査を経た場合、又は発起人若しくは設立時取締役がその職務を行うについて注意を怠らなかったことを証明した場合は当該義務を負わない（52Ⅱ）。

○ 060

発起人がその引き受けた設立時発行株式につきその出資に係る金銭の払込みを仮装した場合には、当該発起人は、株式会社に対し、払込みを仮装した出資に係る金銭の全額の支払をする義務を負う（52の2Ⅰ①・34Ⅰ）。この点、当該義務は、総株主の同意がなければ、免除することができない（55）。

○ 061

発起人は、株式会社の設立についてその任務を怠ったときは、当該株式会社に対し、これによって生じた損害を賠償する責任を負う（53Ⅰ）。そして、当該発起人の負う責任は、総株主の同意がなければ、免除することができない（55）。

× 062

設立時監査役が設立時募集株式の発行に係る払込みを仮装するため預合いを行ったときは、5年以下の懲役若しくは500万円以下の罰金に処し、又はこれを併科する（965・960Ⅰ②）。

第 **8** 編

解散・清算

① どんなときに解散状態になるのか

001 ☐☐☐

定款で定めた解散の事由の発生によって解散した株式会社は、清算が結了するまで、株主総会の特別決議によって、株式会社を継続することができる。

002 ☐☐☐
令2-31-オ

平27-31-オ

定款で定めた存続期間の満了によって解散した清算株式会社は、清算が結了するまで、株主総会の決議によって株式会社を継続することができるが、休眠会社が解散したものとみなされた場合には、解散したものとみなされた後3年以内に限り株主総会の決議によって株式会社を継続することができる。

003 ☐☐☐
平17-32-1（平21-34-ア）改題

株式会社が合併をするとその当事会社の少なくとも一方は解散する。

○ **001**

株式会社は、定款で定めた解散の事由の発生によって解散した場合には、清算が結了するまで、株主総会の特別決議によって、株式会社を継続することができる（473・471②・309Ⅱ⑪）。

○ **002**

株式会社は、①定款で定めた存続期間の満了、②定款で定めた解散事由の発生、③株主総会の決議により解散した場合には、清算が結了するまでは、株主総会の特別決議によって、株式会社を継続することができる（473・471①～③・309Ⅱ⑪）。また、休眠会社（株式会社であって、当該株式会社に関する登記が最後にあった日から12年を経過したものをいう。）が、一定の要件の下、解散したものとみなされた場合には、解散したものとみなされた後3年以内に限り、株主総会の特別決議によって、株式会社を継続することができる（473括弧書・472Ⅰ・309Ⅱ⑪）。

○ **003**

合併では、合併する会社の一方が解散する吸収合併（749）、及び合併する会社の双方が解散する新設合併（753）とがあり、いずれの場合も、当事会社の一方は必ず解散する（471④）。

解散・清算

❶ どんなときに解散状態になるのか

清算株式会社は、その株主に対し、剰余金の配当をすることができない。

○ **004**

清算株式会社は、剰余金の配当をすることができない（509Ⅰ②・
453）。

解散・清算

2 解散会社ができること、できないこと

005 ☐☐☐   平27-31-ウ

監査等委員会設置会社及び指名委員会等設置会社ではない会社法
上の公開会社が裁判所の解散命令によって解散した場合において、
定款で清算人を定めておらず、かつ、株主総会でも清算人を選任
しなかったときは、取締役が当然に清算人となる。

006 ☐☐☐   平19-33-ア

清算中の株式会社が清算人会を置く旨の定款の定めを設けるとき
は、併せて監査役を置く旨の定款の定めを設けなければならない。

007 ☐☐☐   令2-31-エ

株式会社が解散の時において取締役会設置会社であった場合には、
清算人会を置かなければならない。

008 ☐☐☐   平19-33-イ

解散した時に会社法上の公開会社であった株式会社が清算中に定
款に株式譲渡制限の定めを設けたときは、監査役を置く旨の定款
の定めを廃止して、監査役を置かないものとすることができる。

009 ☐☐☐   平27-31-イ

監査等委員会設置会社及び指名委員会等設置会社ではない会社法
上の公開会社が、解散の時において会計監査人設置会社であった
場合には、清算株式会社には監査役も、会計監査人も、置く必要
はない。

✕ 005

株式会社が裁判所の解散命令によって解散した場合、裁判所は、利害関係人若しくは法務大臣の申立てにより又は職権で、清算人を選任する（478Ⅲ・471⑥）。

✕ 006

清算株式会社は、定款の定めによって、清算人会、監査役又は監査役会を置くことができるが（477Ⅱ）、清算人会を置いた場合に、併せて監査役を置かなければならない旨の規定はない。

✕ 007

清算株式会社は、定款の定めによって、清算人会を置くことができる（477Ⅱ）。この点、解散前の定款に取締役会を置く旨の定めがあったとしても、当該定款の定めは清算人会を設置する旨の定めとはみなされない。

✕ 008

清算開始時（475各号）において会社法上の公開会社又は大会社であった清算株式会社は、監査役を置かなければならず（477Ⅳ）、清算中に定款を変更して、その発行する全部の株式につき譲渡制限に関する規定を設けて会社法上の公開会社でなくなった場合であっても、監査役を置く旨の定款の定めを廃止することはできない。

✕ 009

清算株式会社は、定款の定めによって、監査役を置くことができる（477Ⅱ）。そして、清算の開始原因が生じた時において、会社法上の公開会社又は大会社であった清算株式会社は、監査役を置かなければならない（477Ⅳ・475各号）。

解散・清算

❸ 清算会社が置ける機関

清算株式会社は、会計監査人を置くことができる。

株式会社が解散の時において会社法上の公開会社であり、かつ、監査等委員会設置会社であった場合には、監査等委員である取締役は、清算株式会社の監査役となる。

清算株式会社の監査役の任期は、清算を開始した時から4年以内に終了する清算事務年度のうち最終のものに関する定時株主総会の終結の時までである。

× 010

清算株式会社は、会計監査人を置くことはできない（477Ⅷによる326Ⅱの不準用）。

○ 011

監査等委員会設置会社が清算の開始原因に該当する解散をした時に会社法上の公開会社又は大会社であった場合、監査等委員である取締役が清算株式会社の監査役となる（477Ⅴ・Ⅳ・475①）。

× 012

清算株式会社の監査役には、監査役の任期に関する336条の規定の適用はない（480Ⅱ・336Ⅰ）。

解散・清算

❸ 清算会社が置ける機関

❹ 清算手続

013 ☐☐☐   平19-33-ウ

清算中の株式会社は、各清算事務年度に係る貸借対照表及び事務
報告並びにこれらの附属明細書を作成しなければならない。

014 ☐☐☐   平19-33-エ

大会社である株式会社は、清算中も、貸借対照表及びその附属明
細書について、会計監査人の監査を受けなければならない。

015 ☐☐☐   平19-33-オ

清算中の株式会社は、債権者に対し2か月以上の一定の期間内に
その債権を申し出るべき旨を官報に公告し、かつ、知れている債
権者には各別にこれを催告しなければならず、この公告を官報の
ほか定款の定めに従って時事に関する事項を掲載する日刊新聞紙
に掲載する方法により二重に行っても、知れている債権者に対する
催告を省略することはできない。

016 ☐☐☐   平27-31-ア

監査等委員会設置会社及び指名委員会等設置会社ではない会社法
上の公開会社は、株主総会の特別決議によって解散した場合、当
該会社は、その株主総会の日の2週間前までに、会社の債権者に
対し、一定の期間内にその債権を申し出るべき旨を官報に公告し、
かつ、知れている債権者には各別にこれを催告しなければならな
い。

017 ☐☐☐   令2-31-ウ

清算から除斥された債権者は、分配がされていない残余財産に対
してのみ、弁済を請求することができる。

○ **013**

清算株式会社は、各清算事務年度に係る貸借対照表及び事務報告並びにこれらの附属明細書を作成しなければならない（494Ⅰ）。

× **014**

清算株式会社は、会計監査人を置くことはできないため（477Ⅱ参照）、その監査は問題とならない。

○ **015**

清算株式会社は、清算開始後、遅滞なく、当該清算株式会社の債権者に対し、一定の期間（2か月を下ることができない。）内にその債権を申し出るべき旨を官報に公告し、かつ、知れている債権者には、各別にこれを催告しなければならず（499Ⅰ）、二重の公告を行っても、知れている債権者に対する各別の催告を、省略することはできない。

× **016**

清算株式会社は、清算の開始原因に該当することとなった後、遅滞なく、当該清算株式会社の債権者に対し、2か月以上の一定の期間内にその債権を申し出るべき旨を官報に公告し、かつ、知れている債権者には、各別にこれを催告しなければならない（499Ⅰ・475各号）。

○ **017**

清算から除斥された債権者は、分配がされていない残余財産に対してのみ、弁済を請求することができる（503Ⅱ）。

解散・清算

❹ 清算手続

第9編

特例有限会社

① 特例有限会社

001 ▢▢▢   平9-35-オ（平13-35-3）

特例有限会社において、他の株主に株式を譲渡するには、当該会社の承認があったものとみなされるが、株主以外の者に株式を譲渡するには、当該会社が承認することを要する。

002 ▢▢▢   平元-36-イ

特例有限会社においては、定款によって、取締役会の制度を設け、会社の業務執行は取締役会の決議で決するものと定めることができる。

003 ▢▢▢   平6-27-3

特例有限会社において、監査役が置かれるときは、取締役と会社との間の訴訟については監査役が会社を代表する。

004 ▢▢▢   平14-33-オ

会社の取締役に対する損害賠償請求権について、株式会社の場合には株主による責任追及の訴えの制度があるが、特例有限会社の場合には株主による責任追及の訴えの制度はない。

○ **001**

特例有限会社の定款には、その全部の株式の内容として、譲渡制限の定め及び株主間の譲渡による取得については承認をしたものとみなす旨の定めがあるものとみなされる（会社整備9Ⅰ）。したがって、特例有限会社の株主間の株式の譲渡による取得については、形式的に会社の承認は必要であるものの、承認したものとみなされることになるが、株主以外の者に株式を譲渡するには、実際に会社が承認することを要する。

× **002**

特例有限会社については、株主総会及び取締役のほかは、監査役のみを置くことができる（会社整備17Ⅰ）とされており、定款によっても取締役会を設置することはできない。

× **003**

定款によって監査の範囲を会計に関するものに限定されている監査役については、当該訴訟において株式会社を代表することができない（389Ⅶ・386・389Ⅰ）。そして、特例有限会社が定款で監査役を置く旨を定めた場合、その監査役の監査の範囲は会計に関するものに限定される（会社整備24、会社389Ⅰ）。したがって、特例有限会社が定款で監査役を置く旨を定めても、株主総会で定めた者が株式会社を代表することになる（会社整備2Ⅰ、会社353）。

× **004**

特例有限会社の場合にも株主による責任追及の訴えの制度がある（会社整備2Ⅰ、会社847）。

005 ☐☐☐ 平15-33-2

会社法上の公開会社である株式会社（監査等委員会設置会社を除く。）の取締役を株主総会において解任するには、特別決議が必要であるが、特例有限会社の取締役を株主総会において解任するには、普通決議で足りる。

006 ☐☐☐ 平元-36-ア（平6-27-2、平12-35-イ、平15-33-4）

特例有限会社は、定款によっても取締役を株主と限ることができない。

007 ☐☐☐ 平6-27-1（平15-33-5）

特例有限会社の取締役の任期は2年を超えることができない。

008 ☐☐☐ 平16-29-2

特例有限会社は、定款に特定の株主の株式1株につき2個の議決権を与える旨の定めを設けた場合には、その旨を登記しなければならない。

009 ☐☐☐ 平7-34-ウ（平12-35-ア）

特例有限会社の株主総会は、法律又は定款に定める事項に限り決議することができる。

× 005

株式会社の取締役の解任は、累積投票により選任された取締役（監査等委員である取締役を除く。）及び監査等委員である取締役を除き（特別決議 309Ⅱ⑦）、株主総会の普通決議で足りる（341）。特例有限会社に関しても、累積投票により選任された取締役を除き普通決議によって取締役を解任することができる（会社整備2Ⅰ、会社341）。

× 006

特例有限会社においては、取締役を株主に限る旨を定款で定めることも可能である（会社整備2Ⅰ、会社331Ⅱ但書）。

× 007

特例有限会社の取締役の任期については、特に制限はなく、定款で特例有限会社の取締役の任期を2年を超えて定めることができる（会社整備18）。

× 008

特例有限会社は、会社法上の公開会社でない株式会社に相当する（会社整備9Ⅰ）ため、定款で特定の株主の有する株式1株につき2個の議決権を与える旨の定めを設けることができる（会社整備2Ⅰ、会社109Ⅱ・105Ⅰ③）。しかし、その旨が登記されることはない（911Ⅲ参照）。

× 009

取締役会設置会社の株主総会の権限は法律及び定款で定めた事項に限定される（295Ⅱ）。これに対して、特例有限会社の株主総会には、そのような制約はなく、会社法に規定する事項及び会社の組織、運営、管理その他会社に関する一切の事項について決議することができる（会社整備2Ⅰ、会社295Ⅰ）。

010 □□□ 　　　　　　　　　　　平16-29-1（平4-34-1）

特例有限会社は、定款に、株主が、その有する株式の数にかかわらず、剰余金について同額の配当を受ける旨の定めを設けることができる。

011 □□□ 　　　　　　　　　　　　　　　平8-34-2

特例有限会社は、株主総会の決議により、減少する準備金の額の全部又は一部を資本金とすることができる。

012 □□□ 　　　　　　　　　　　　　　平18-28-オ

債務超過の状態にある特例有限会社であっても、定款を変更してその商号中に株式会社という文字を用いる商号の変更をすることができる。

013 □□□ 　　　　　　　　　　　　　　平19-35-ウ

特例有限会社は、株式会社と合併をすることはできるが、持分会社と合併をすることはできない。

○ **010**

特例有限会社は、会社法上の公開会社でない株式会社に相当する（会社整備9Ⅰ）ため、特例有限会社における剰余金の配当は、定款に別段の定めがあれば、保有する株式の数に応じずにすることができる（会社整備2Ⅰ、会社109Ⅱ・105Ⅰ①）。

○ **011**

特例有限会社においては、株主総会の普通決議により、減少する準備金の額を資本金とすること、すなわち準備金の資本組入れにより資本金の額を増加することができる（会社整備2Ⅰ、会社448Ⅰ・309Ⅰ）。

○ **012**

債務超過の状態にある特例有限会社が、その商号中に株式会社という文字を用いる商号変更をして株式会社に移行したとしても、従来の債務超過状態が引き継がれるだけであり、それを禁ずる旨の規定も存在しないため、当該商号変更は可能である。

× **013**

特例有限会社は、吸収合併存続会社又は吸収分割承継会社となることができず（会社整備37）、また、株式交換、株式移転及び株式交付をすることができない（会社整備38）。しかし、特例有限会社が消滅会社となり、特例有限会社以外の会社が存続会社又は新設会社となる吸収合併又は新設合併、特例有限会社が分割会社となり、特例有限会社以外の会社が承継会社又は設立会社となる吸収分割又は新設分割は行うことができる。

第**10**編

持分会社

① 持分会社の種類

001 □□□
平19-28-エ改題

合同会社の設立に際して金銭以外の財産を出資する者がある場合には、定款に当該財産を記載しなければならない。

002 □□□
平19-34-エ（平24-33-ア、令3-33-ア）

合資会社の有限責任社員については、労務による出資も許されるが、合同会社の社員については、その出資の目的は金銭その他の財産に限られる。

○ **001**

合同会社においては、金銭出資、現物出資を問わず、社員の出資の目的及びその価額又は評価の標準を記載し、又は記録しなければならない（576 I ⑥）。

× **002**

持分会社における有限責任社員の出資の目的は、合資会社、合同会社を問わず、金銭等に限られる（576 I ⑥括弧書）ため、信用や労務による出資は許されない。

持分会社

❶ 持分会社の種類

❷ 管理

003 □□□ 　　　　　　　　　　　　　　　平27-32-イ

合名会社の業務を執行する社員を定款で定めた場合には、業務を執行する社員以外の社員は、当該合名会社の常務を単独で行うことができない。

004 □□□ 　　　　　　　　　　　　　　　平30-32-3

合名会社の社員は、当該社員以外の社員の過半数の承諾があれば、その持分を他人に譲渡することができる。

005 □□□ 　　　　　　　　　　　　　　平26-32-ウ改題

合名会社の社員は、当該合名会社に対し、既に出資として払込みをした金銭の払戻しを請求することができる。

006 □□□ 　　　　　　　　　平元-39-ア（平15-28-3）

合資会社の業務執行権を有しない有限責任社員が、その持分を譲渡する場合、他の社員全員の承認を要する。

007 □□□ 　　　　　　　　　　　　　　　平19-34-オ

合資会社の有限責任社員は、定款に別段の定めがある場合を除き、当該合資会社の業務を執行する権限を有する。

008 □□□ 　　　　　　　　　　　　　　　令3-33-イ

合資会社においては、有限責任社員を業務を執行する社員とすることができる。

○ **003**

持分会社の常務は、各社員が単独で行うことができる（590Ⅲ）。そして、業務を執行する社員を定款で定めた場合には、当該各業務を執行する社員は、当該会社の常務を単独で行うことができるが、業務を執行する社員以外の各社員は、単独で行うことができない（591Ⅰ後段・590Ⅲ）。

× **004**

持分会社の社員は、原則として、他の社員の全員の承諾がなければ、その持分の全部又は一部を他人に譲渡することができない（585Ⅰ）。

○ **005**

社員は、持分会社に対し、既に出資として払込み又は給付をした金銭等の払戻しを請求することができる（624Ⅰ前段）。

× **006**

業務を執行しない有限責任社員は、業務を執行する社員の全員の承諾があるときは、持分を譲渡できる（585Ⅱ）。

○ **007**

持分会社の社員（無限責任社員であるか有限責任社員であるかを問わない。）は、定款に別段の定めがある場合を除き、当該持分会社の業務を執行する権限を有する（590Ⅰ）。

○ **008**

持分会社は、業務を執行する社員を定款で定めることができる（590Ⅰ）。この点、合資会社において、有限責任社員を業務を執行する社員とすることができる（590Ⅰ参照）。

持分会社

❷ 管理

009 ☐☐☐　　　　　　　　　　　　　　平22-32-ウ（平30-32-4）

合資会社においては、損失のてん補のために資本金の額を減少するには、債権者の異議手続を執らなければならない。

010 ☐☐☐　　　　　　　　　　　　　　　　　平26-32-ウ改題

合資会社の有限責任社員は、定款を変更してその出資の価額を減少する場合を除き、当該合資会社に対し、既に出資として払込みをした金銭の払戻しを請求することができない。

011 ☐☐☐　　　　　　　　　　　　　　　　　　平27-32-ア

合資会社の有限責任社員が出資の価額を減少した場合に、その旨の登記をする前に生じた当該合資会社の債務を弁済すべき当該有限責任社員の責任は、当該登記後1年を経過した時に消滅する。

012 ☐☐☐　　　　　　　　　　　　　　　　　　令2-32-オ

合同会社の社員は、定款を変更してその出資の価額を減少する場合を除き、出資の払戻しを請求することができない。

013 ☐☐☐　　　　　　　　　　　　　　　　　　平24-33-イ

合同会社は、他の合同会社の業務執行社員となることができる。

× **009**

合資会社が資本金の額を減少する場合には、債権者保護手続をとることを要しない。

× **010**

社員は、持分会社に対し、既に出資として払込み又は給付をした金銭等の払戻しを請求することが**できる**（624 I 前段）。

× **011**

合資会社の有限責任社員が出資の価額を減少した場合に、その旨の登記をする前に生じた当該合資会社の債務を弁済すべき当該有限責任社員の責任は、当該登記後**2年**を経過した時に消滅する（583Ⅱ・Ⅳ）。

○ **012**

社員は、持分会社に対し、既に出資として払込み又は給付をした金銭等の払戻し（以下「出資の払戻し」という。）を請求することができる（624 I 前段）。しかし、**合同会社の社員**は、定款を変更してその出資の価額を減少する場合を除き、出資の払戻しを請求することが**できない**（632 I）。

○ **013**

持分会社の社員となり得る法人の種類は限定されていないため、法人の目的の範囲内の行為であれば、持分会社であっても、他の持分会社の業務執行社員となることが**できる**（598）。

014 □□□ 令3-33-エ

合同会社においては、業務を執行する社員が自己のために合同会社と取引をしようとする場合に当該取引について当該社員以外の社員の過半数の承認を受けることを要しないとの定款の定めを設けることはできない。

015 □□□ 令3-33-オ

合同会社の業務を執行する社員がその職務を行うのに費用を要するときは、合同会社は、業務を執行する社員の請求により、その前払をしなければならない。

016 □□□ 平27-32-ウ

合同会社の業務を執行する社員が法人である場合には、当該法人の代表者が当該業務を執行する社員の職務を行うべき者となる。

017 □□□ 平21-31-エ（平29-33-オ）

合同会社を代表する社員のすべてが外国法人である場合、当該社員の職務を行うべき者として選任される者のうち、少なくとも一人は、日本に住所を有する者でなければならない。

018 □□□ 平22-32-ア

合同会社においては、資本金の額は、設立又は社員の加入に際して社員となろうとする者が当該合同会社に対して払込み又は給付をした財産の額であり、少なくとも当該額の2分の1の額は、資本金として計上しなければならない。

✕ 014

業務を執行する社員が自己のために合同会社と取引をしようとする場合に、当該取引について当該社員以外の社員の過半数の承認を受けることを要しないとの定款の定めを設けることもできる（595Ⅰ①参照）。

◯ 015

持分会社の業務を執行する社員がその職務を行うのに費用を要するときは、定款に別段の定めがある場合を除き、持分会社は、業務を執行する社員の請求により、その前払をしなければならない（593Ⅳ・Ⅴ、民649）。

✕ 016

職務執行者の地位資格に制限はないため、当該法人の業務執行社員、従業員のほか、法人の社員ではない専門の経営者を職務執行者として選任することもできる。

✕ 017

持分会社の代表社員及びその職務執行者の全員が日本に住所を有する必要はない（平27.3.16民商29号）。

✕ 018

資本金の額は持分会社（設立においては社員となろうとする者）の裁量で定めることができる（会社計規30・44）。

019 ☐☐☐ 平23-34-イ（平8-35-1）

社員は、業務を執行するが、定款の定めをもって、一部の社員を業務の執行をする社員とすることができる。

020 ☐☐☐ 平20-35-イ（令5-32-オ）

合名会社及び合資会社が資本金の額を減少する場合にはそれらの債権者は異議を述べることができないが、合同会社が資本金の額を減少する場合にはその債権者は異議を述べることができる。

021 ☐☐☐ 平27-32-オ

合同会社以外の持分会社は、損失の塡補のために、その資本金の額を減少することができない。

022 ☐☐☐ 平20-35-エ（平元-39-エ）

業務を執行する社員を定款で定めた場合であっても、支配人の選任及び解任は、合名会社及び合同会社においては総社員の過半数をもって、合資会社においては無限責任社員の過半数をもって、それぞれ決定しなければならない。

023 ☐☐☐ 平20-35-オ（平29-33-ア）

合同会社においては事業年度ごとに貸借対照表を公告する必要があるが、合名会社及び合資会社においてはその必要はない。

○ **019**

定款の定めによって、一部の社員を業務を執行する社員とすることができる（590Ⅰ参照）。

○ **020**

合名会社及び合資会社が資本金の額を減少する場合は、債権者は異議を述べることはできないが、合同会社が資本金の額を減少する場合には、債権者は異議を述べることができる（627Ⅰ）。

× **021**

持分会社は、損失の填補のために、その資本金の額を減少することができる（620Ⅰ）。

× **022**

業務を執行する社員を定款で定めた場合であっても、支配人の選任及び解任は、定款で別段の定めがあるときを除き、社員の過半数をもって決定する（591Ⅱ）。これは、持分会社すべて共通である。

× **023**

持分会社は、法務省令で定めるところにより、各事業年度に係る計算書類（貸借対照表その他持分会社の財産の状況を示すために必要かつ適切なものとして法務省令で定めるものをいう。）を作成しなければならない（617Ⅱ、会社計規71）が、公告することまでは要しない。

ある事業年度の利益又は損失は、当該事業年度の終了後に新たに社員となった者にも、出資の価額に応じて分配される。

合名会社又は合資会社の社員は、持分の全部を他人に譲渡した場合には、その旨の登記をする前に生じた当該合名会社又は当該合資会社の債務について、従前の責任の範囲内でこれを弁済する責任を負うが、合同会社の社員は、持分の全部を他人に譲渡した場合には、このような責任を負わない。

× 024

損益分配の割合について定款の定めがないときは、その割合は、各社員の出資の価額に応じて定める（622Ⅰ）。この点、損益の分配は、事業年度ごとにその事業年度末日における社員に対して行われるため、その後、新たに社員になった者に対して過去の損益が分配されることはない。

○ 025

持分の全部を他人に譲渡した社員は、その旨の登記をする前に生じた持分会社の債務について、従前の責任の範囲内でこれを弁済する責任を負い、当該責任は、当該登記後2年以内に請求又は請求の予告をしない持分会社の債権者に対しては、当該登記後2年を経過した時に消滅する（586Ⅰ・Ⅱ）。この点、当該規定は、各社員に関する登記制度がない合同会社には適用されない。

持分会社

❷ 管理

❸ 設立

026 | | | 平31-33-ア

合名会社の定款には、その社員の全部を無限責任社員とする旨を記載し、又は記録することを要しない。

027 | | | 平19-32-オ

合名会社においては、必ずしも貸借対照表を作成する必要はない。

028 | | | 令2-32-ウ

合名会社が利益の配当により社員に対して交付した金銭等の帳簿価額が当該利益の配当をする日における利益額を超える場合には、当該利益の配当を受けた社員は、当該合名会社に対し、連帯して、当該金銭等の帳簿価額に相当する金銭を支払う義務を負う。

029 | | | 平19-28-ア改題

合同会社を設立するには、社員になろうとする者が定款を作成し、その全員がこれに署名し、又は記名押印しなければならない。

030 | | | 平19-28-イ改題

合同会社の定款には、成立後の会社の資本金の額に関する事項を記載しなければならない。

031 | | | 平19-28-ウ改題

合同会社の設立手続の遂行者（社員になろうとする者）は、会社の成立までの間、定款を設立手続の遂行者が定めた場所に備え置かなければならない。

✕ 026

合名会社の定款には、その社員の全部を無限責任社員とする旨を記載し、又は記録しなければならない（576Ⅱ・Ⅰ⑤）。

✕ 027

持分会社は、法務省令で定めるところにより、その成立の日及び各事業年度に係る貸借対照表を作成しなければならない（617、会社施規159②、会社計規70）。

✕ 028

合名会社においては、利益が存しないにもかかわらず配当が行われた場合であっても、無限責任社員しかおらず（576Ⅱ参照）、特別の規制は設けられていない（623Ⅰ参照）。

○ 029

持分会社を設立するには、その社員になろうとする者が定款を作成し、その全員がこれに署名し、又は記名押印しなければならない（575Ⅰ）。

✕ 030

合同会社において資本金の額に関する事項は定款の必要的記載事項とされていない（576）。

✕ 031

発起人（株式会社の成立後にあっては、当該株式会社）は、定款を発起人が定めた場所（株式会社の成立後にあっては、その本店及び支店）に備え置かなければならない（31Ⅰ）。しかし、合同会社においては、これと同様の規定は置かれていない。

持分会社

3 設立

合同会社の設立に際しての出資に係る金銭の払込みは、設立手続の遂行者（社員となろうとする者）が定めた銀行等の払込みの取扱いの場所においてしなければならない。

設立しようとする会社が持分会社である場合には、社員になろうとする者が作成した定款は、公証人の認証を受けることを要しない。

持分会社の社員については、いずれの種類の持分会社においても、その全員の氏名又は名称及び住所について、これを定款に記載するとともに、登記しなければならない。

× **032**

株式会社における出資に係る金銭の払込みは、発起人が定めた銀行等の払込みの取扱いの場所においてしなければならない旨の規定はあるが（34Ⅱ・63Ⅰ）、合同会社においては、これと同様の規定は置かれていない。

〇 **033**

設立しようとする会社が持分会社である場合には、社員になろうとする者が作成した定款は、公証人の認証を受けることを要しない。

× **034**

持分会社の定款には、社員全員の氏名又は名称及び住所を記載しなければならない（576Ⅰ④）。そして、合名会社及び合資会社においては、社員全員の氏名又は名称及び住所を登記しなければならないが（912⑤・913⑤）、合同会社においては、業務執行社員の氏名又は名称、代表社員の氏名又は名称及び住所を登記すれば足り（914⑥・⑦）、社員全員の氏名又は名称及び住所を登記する必要はない。

035 ☐☐☐ 　　　　　　　　　　平5-30-ア（平30-32-5）

合名会社の成立後に加入した社員は、その加入前に生じた会社の債務についても責任を負う。

036 ☐☐☐ 　　　　　　　　　　　　　　　平5-30-オ

やむを得ない事由のあるときは、合名会社の各社員は、いつでも退社することができる。

037 ☐☐☐ 　　　　　　　　　　　　　　　平25-34-ア

合名会社の存続期間を定款で定めなかった場合には、当該合名会社の社員は、退社する6か月前までに退社の予告をすることにより、いつでも退社することができる。

038 ☐☐☐ 　　　　　　　　　　　　　　　平27-32-エ

合名会社の社員の持分を差し押さえた債権者は、事業年度の終了時の6か月前までに当該合名会社及び当該社員に対し当該社員を退社させる旨の予告をした場合には、当該社員が当該債権者に対し弁済し又は相当の担保を提供したときを除き、事業年度の終了時において当該社員を退社させることができる。

039 ☐☐☐ 　　　　　　　　　　　　　　　平25-34-イ

合名会社は、社員が後見開始の審判を受けたことによっては退社しない旨を定めることができる。

○ **035**

持分会社では、会社の成立後に加入した社員は、その加入前に生じた会社の債務についてもこれを弁済する責任を負う（605）。

○ **036**

持分会社の社員は、やむを得ない事由があればいつでも退社することができる（606Ⅲ）。

× **037**

退社する6か月前までに退社の予告をすることにより、事業年度の終了の時において退社をすることができるのであって、いつでも退社することができるわけではない（606Ⅰ・Ⅱ）。

○ **038**

社員の持分を差し押さえた債権者は、事業年度の終了時の6か月前までに持分会社及び当該社員に対し当該社員を退社させる旨の予告をした場合には、当該社員が当該債権者に対し弁済し又は相当の担保を提供したときを除き、事業年度の終了時において当該社員を退社させることができる（609Ⅰ・Ⅱ）。

○ **039**

持分会社の社員は、後見開始の審判を受けたことによって、退社する（607Ⅰ⑦）。しかし、持分会社は、その社員が後見開始の審判を受けたことによっては退社しない旨を定めることができる（607Ⅱ）。

持分会社

❹ 入社・退社

合名会社がその商号中に退社した社員の氏名を用いている場合には、当該社員は、当該合名会社に対し、その氏名の使用をやめることを請求することができる。

合名会社を退社した社員は、その退社後に生じた当該合名会社の債務について、これを弁済する責任を負わない。

合資会社が新たに有限責任社員を加入させる場合には、その者がその出資に係る払込みを新たに履行しなくても、その者は、加入に係る定款の変更の時に当該合資会社の有限責任社員となることができる。

合同会社が新たに社員を加入させる場合には、その者は、加入に係る定款の変更があった後も、その出資に係る払込みの全部を履行するまでは、当該合同会社の社員となることができない。

合同会社は、社員名簿を作成し、これに社員の氏名又は名称及び住所を記載し、又は記録しなければならない。

○ **040**

持分会社がその商号中に退社した社員の氏若しくは氏名又は名称を用いているときは、当該退社した社員は、当該持分会社に対し、その氏若しくは氏名又は名称の使用をやめることを請求することができる（613）。

× **041**

退社した社員は、退社の登記をする前に生じた当該合名会社の債務については、退社後に生じた当該合名会社の債務であっても、従前の責任の範囲内でこれを弁済する責任を負う（612Ⅰ）。

○ **042**

持分会社は、新たに社員を加入させることができ（604Ⅰ）、持分会社の社員の加入は、当該社員に係る定款の変更をした時に、その効力を生ずる（604Ⅱ・576Ⅰ④参照）。

○ **043**

合同会社が新たに社員を加入させる場合において、新たに社員となろうとする者が当該社員の加入に係る定款の変更をした時にその出資に係る払込み又は給付の全部又は一部を履行していないときは、その者は、当該払込み又は給付を完了した時に、合同会社の社員となる（604Ⅲ）。

× **044**

株式会社は、株主名簿を作成し、これに株主の氏名又は名称及び住所を記載し、又は記録しなければならない（121①）。しかし、持分会社について社員名簿を作成しなければならない旨の規定は存しない。

持分会社

❹ 入社・退社

合同会社の社員は、やむを得ない事由があるときは、いつでも退社することができる。

合同会社においては、その社員が破産手続開始の決定を受けたことによっては退社しない旨を定款で定めることができない。

合同会社の社員の持分を差し押さえた債権者は、事業年度の終了時の6か月前までに合同会社及び当該社員に対して当該社員を退社させる旨の予告をし、当該事業年度の終了時において当該社員を退社させることができる。

合同会社は、当該合同会社の持分を譲り受けることができる。

合同会社が当該合同会社の持分を取得した場合には、当該持分は、当該合同会社が取得した時に、消滅する。

持分会社の社員の死亡は、無限責任社員については退社事由に当たるが、有限責任社員については退社事由に当たらず、当該有限責任社員の相続人が当該有限責任社員の持分を承継する。

○ **045**

持分会社の社員は、やむを得ない事由があるときは、いつでも退社することができる（606Ⅲ）。

× **046**

持分会社の社員は、破産手続開始の決定によって退社する（607Ⅰ⑤）。しかし、持分会社は、その社員が破産手続開始の決定によっては退社しない旨を定めることができる（607Ⅱ）。

○ **047**

社員の持分を差し押さえた債権者は、事業年度の終了時において当該社員を退社させることができ、この場合、当該債権者は、6か月前までに持分会社及び当該社員にその予告をしなければならない（609Ⅰ）。

× **048**

持分会社は、その持分の全部又は一部を譲り受けることはできない（587Ⅰ）。

○ **049**

持分会社が、譲渡以外の方法、例えば合併等によって当該持分会社の持分を承継取得した場合は、当該持分は、当該持分会社が取得した時に消滅する（587Ⅰ・Ⅱ）。

× **050**

持分会社の社員は、死亡によって退社する（607Ⅰ③）。この点、当該規定は、当該社員の責任が有限であるか無限であるかを問わず、また、当該社員が業務執行権を有するか否かにかかわらず適用される。

持分会社

❹ 入社・退社

❺ 種類変更

051 □□□ 令2-32-ア

合名会社がその社員の全部を有限責任社員とする定款の変更をする場合には、債権者は、当該会社に対し、定款の変更について異議を述べることができる。

052 □□□ 平19-34-ウ

合資会社の有限責任社員が無限責任社員となった場合には、当該無限責任社員となった者は、その者が無限責任社員となる前に生じた当該合資会社の債務についても、無限責任社員としてこれを弁済する責任を負う。

053 □□□ 平25-33-ウ

組織変更をする合名会社の債権者は、当該合名会社に対し、当該組織変更について異議を述べることができる。

054 □□□ 平29-34-3

合資会社が組織変更をする場合には、組織変更後の株式会社は、組織変更後の株式会社の商号について、組織変更計画の定めに従い、株主総会の決議によって定款の変更をしなければならない。

× **051**

持分会社が種類の変更をする全ての場合において、債権者保護手続を行うことは要しない。なぜなら、持分会社の社員に、種類の変更後や退社後においても従前の責任の範囲内で債権者に対し責任を負わせることで（583・612）、持分会社の債権者の保護が図られるため、債権者保護手続を行う必要性が低いからである。

○ **052**

有限責任社員が無限責任社員となった場合には、当該無限責任社員となった者は、その者が無限責任社員となる前に生じた持分会社の債務についても、無限責任社員としてこれを弁済する責任を負う（583Ⅰ）。

○ **053**

合名会社が組織変更をする場合、当該合名会社の債権者は、組織変更について異議を述べることができる（781Ⅱ・779）。

× **054**

組織変更をする持分会社は、効力発生日に、組織変更計画において定めた組織変更後の株式会社の目的、商号、本店の所在地、発行可能株式総数及び、その他組織変更後株式会社の定款で定める事項についての定めに従い、当該事項に係る定款の変更をしたものとみなされる（747Ⅱ・746Ⅰ①・②）。

持分会社

5 種類変更

組織変更をする合名会社は、組織変更計画備置開始日から組織変更がその効力を生ずる日までの間、組織変更計画の内容等を記載し、又は記録した書面又は電磁的記録をその本店に備え置かなければならない。

組織変更後の持分会社は、組織変更がその効力を生じた日から6か月間、組織変更に関する事項を記載し、又は記録した書面又は電磁的記録をその本店に備え置かなければならない。

「株式会社から持分会社への組織変更」を行う場合には、組織変更計画備置開始日から組織変更がその効力を生ずる日までの間、組織変更計画の内容その他法務省令で定める事項を記載し、又は記録した書面又は電磁的記録をその本店に備え置くことが必要である（775Ⅰ）。しかし、「持分会社から株式会社への組織変更」を行う場合には、当該書類又は電磁的記録の備置き・開示義務は、課されていない。

組織変更をする株式会社は、組織変更計画備置開始日から組織変更がその効力を生ずる日までの間、組織変更計画の内容その他法務省令で定める事項を記載し、又は記録した書面又は電磁的記録をその本店に備え置かなければならない（775Ⅰ）。しかし、組織変更後の持分会社については、事後開示の制度は存在しない。

057 ☐☐☐   平26-32-オ

定款で定めた存続期間が満了した場合について、合名会社は、総社員の同意によって、当該合名会社の財産の処分の方法を定めて清算をすることができる。

058 ☐☐☐   平24-33-オ

合同会社は、社員が一人となったことによって解散する。

059 ☐☐☐   平31-33-エ

合同会社は、定款又は総社員の同意によって、当該合同会社が総社員の同意によって解散した場合における当該合同会社の財産の処分の方法を定めることができる。

○ **057**

持分会社（**合名会社及び合資会社に限る。**）は、定款又は総社員の同意によって、当該持分会社が①定款で定めた存続期間の満了、②定款で定めた解散の事由の発生、③総社員の同意によって解散した場合における当該持分会社の財産の処分の方法を定めることができる（任意清算　668Ⅰ・641①〜③）。

× **058**

持分会社は、社員が一人になっても**解散せず**、社員が欠けたときに解散する（641④）。

× **059**

合同会社は、定款又は総社員の同意によって、当該合同会社が総社員の同意によって解散した場合における当該合同会社の財産の処分の方法を定めることが**できない**（668Ⅰ参照）。

持分会社

6 解散・清算

第11編

社債

1 社債

001 □□□ 令3-33-ウ

合名会社は、社債を発行することはできない。

002 □□□ 平29-33-エ

合同会社は、社債を発行することができない。

003 □□□ 平21-32-ア（平11-32-イ）

監査等委員会設置会社及び指名委員会等設置会社を除く取締役会設置会社がその発行する社債を引き受ける者について一の募集をする場合において、募集社債の総額の上限の決定は、取締役会が行わなければならず、取締役に委任することはできない。

004 □□□ 平11-32-オ（令2-33-ウ）改題

複数の会社による合同発行は、社債については認められている。

005 □□□ 令2-33-エ（平11-32-ウ、平23-28-イ）

社債権者は、払込金額の払込みをする債務と株式会社に対する債権とを相殺することができる。

006 □□□ 平11-32-エ（令2-33-オ）

社債については、払込金額の分割払込みが認められている。

× 001

会社は、社債を発行することができる（676参照）。したがって、合名会社も社債を発行することができる（2①）。

× 002

会社は、社債を発行することができる（676参照）。したがって、合同会社も社債を発行することができる（2①）。

○ 003

取締役会は、募集社債の総額（676①）その他社債を引き受ける者の募集に関する重要な事項として法務省令で定める事項についての決定を取締役に委任することはできず、募集社債の総額の上限はこれに含まれる（362Ⅳ⑤、会社施規99Ⅰ②）。

○ 004

社債は、複数の会社が合同して発行することができる（会社施規162②）。

○ 005

社債権者は、払込金額の払込みをする債務と株式会社に対する債権とを相殺することができる。

○ 006

社債の払込みについては、分割払込みが認められている（会社施規162①）。

社債

❶ 社債

２以上の種類の社債を発行する会社は、特定の種類の社債のみに係る社債券を発行するものと定めることができる。

募集社債は、総額について割当てを受ける者を定めていない場合であっても、割当てがされた募集社債は発行される。

社債の償還請求権は、これを行使することができる時から10年間行使しないときは、時効によって消滅する。なお、担保付社債信託法及び社債、株式等の振替に関する法律の適用はないものとする。

社債管理者は、社債権者が、社債権者集会の決議によって社債管理者を定め、社債の管理を行うことを委託することによって設置される。

会社法上、会社は、各社債の金額が１億円以上の社債を募集する場合には、社債管理者を定めることを要しない。

○ **007**

会社は、その社債に係る社債券を発行する旨を募集事項で定めることができ、また、数種の社債を発行している場合、一部の種類の社債についてのみ社債券を発行する旨の定めを置くことができる（676⑥）。

○ **008**

募集社債は、総額について割当てを受ける者を定めていない場合であっても、募集社債の全部を発行しないこととする旨の定めがある場合を除き（676⑪）、割当てがされた募集社債は発行される。

○ **009**

社債の償還請求権は、これを行使することができる時から10年間行使しないときは、時効によって消滅する（701Ⅰ）。

× **010**

社債管理者を定めるのは、社債権者ではなく、会社である（702、会社施規169）。

○ **011**

会社が社債を募集するには、原則として社債管理者を設置しなければならない（702本文）が、①各社債の金額が1億円以上である場合、②社債の総額を各社債の金額の最低額で除して得た数が50を下回る場合には、その設置は任意的である（702但書、会社施規169）。

社債

1 社債

012 ☐☐☐ 平26-33-ア

会社は、社債の総額を２億円とし、各社債の金額を200万円として社債を発行するときは、社債管理者を定める必要がない。

013 ☐☐☐ 平30-33-オ

銀行は、社債発行会社に対して貸付債権を有している場合であっても、社債管理者となることができる。

014 ☐☐☐ 平26-33-イ

社債管理者は、社債権者のために社債に係る債権の実現を保全するために必要な一切の裁判上又は裁判外の行為をする権限を有する。

015 ☐☐☐ 平26-33-ウ

社債管理者は、社債権者のために社債に係る債権の弁済を受けるために必要があるときは、裁判所の許可を得て、社債発行会社の業務及び財産の状況を調査することができる。

016 ☐☐☐ 平26-33-エ

社債管理者が社債権者集会を招集するには、裁判所の許可を得なければならない。

× **012**

各社債の金額が1億円以上である場合、又は、ある種類の社債の総額を当該種類の各社債の金額の最低額で除して得た数が50を下回る場合は、社債管理者を定めることを要しない（702但書、会社施規169）。

○ **013**

社債管理者は、銀行、信託会社のほか、これらに準ずるものとして法務省令で定める者でなければならない（703、会社施規170）。この点、銀行は、社債発行会社に対して、貸付債権を有している場合であっても、社債管理者となる資格を有する。

○ **014**

社債管理者は、社債権者のために社債に係る債権の弁済を受け、又は社債に係る債権の実現を保全するために必要な一切の裁判上又は裁判外の行為をする権限を有する（705Ⅰ）。

○ **015**

社債管理者は、その管理の委託を受けた社債につき債権の弁済を受ける等のために必要があるときは、裁判所の許可を得て、社債発行会社の業務及び財産の状況を調査することができる（705Ⅳ・Ⅰ）。

× **016**

社債発行会社又は社債管理者は、必要がある場合には、いつでも、社債権者集会を招集することができる（717Ⅰ・Ⅱ）。

社債管理者が社債発行会社及び社債権者集会の同意を得て辞任する場合において、他に社債管理者がないときは、当該社債管理者は、あらかじめ、事務を承継する社債管理者を定めなければならない。

社債管理者は、社債権者集会の決議を得なければ、総社債につき支払を猶予することができない。

社債管理者は、社債権者集会の決議によらなければ、社債の償還の請求をすることができない。

無記名式の社債券を発行することはできない。

社債を発行する会社は、社債原簿管理人を定め、社債原簿に関する事務を行うことを委託することができない。

○ **017**

社債管理者は、社債発行会社及び社債権者集会の同意を得て辞任することができる。この場合において、他に社債管理者がないときは、当該社債管理者は、あらかじめ、事務を承継する社債管理者を定めなければならない（711Ⅰ）。

○ **018**

社債管理者が総社債につき支払を猶予するには、社債権者集会の決議を得なければならない（706Ⅰ①）。

× **019**

社債管理者は、社債権者のために社債に係る債権の弁済を受け、又は社債に係る債権の実現を保全するために必要な一切の裁判上又は裁判外の行為をする権限を有する（705Ⅰ）。そして、この権限は、社債権者集会の決議を経ずに、社債管理者の判断によって行使することができる。

× **020**

社債券を発行している場合（676⑥）において、社債券は、債券面に社債権者の氏名を記載するか否かを標準として、記名式と無記名式とに分けられ、双方とも発行することができる（681④・698参照）。

× **021**

社債を発行する会社は、社債原簿管理人を定め、当該事務を行うことを委託することができる（683）。

無記名社債の譲渡は、譲受人の氏名又は名称及び住所を社債原簿に記載し、又は記録しなければ、社債発行会社に対抗することができない。

社債権者集会は、会社法に規定する事項及び募集社債に関する事項として会社が定めた事項に限り、決議をすることができる。

社債発行会社が無記名式の社債券を発行している場合において、社債権者集会を招集するには、招集者は、社債権者及び社債発行会社に対して招集の通知を発しなければならないが、社債権者集会に関する事項を公告する必要はない。

社債権者集会において社債の全部についてその支払の猶予を可決するには、議決権者の議決権の総額の3分の1以上で、かつ、出席した議決権者の議決権の総額の2分の1を超える議決権を有する者の同意がなければならない。

社債発行会社は、その有する自己の社債について、社債権者集会における議決権を有しない。

✕ 022

無記名社債の譲渡は当事者間の意思表示と社債券の交付により行われる（687）。また、無記名社債は社債原簿に無記名社債権者の氏名等が記載されることはないため（681④）、会社及びその他の第三者に対する対抗要件はその社債券の継続占有である（688Ⅲ）。

✕ 023

社債権者集会は、会社法に規定する事項及び社債権者の利害に関する事項について決議することができる（716）。

✕ 024

社債発行会社が無記名式の社債券を発行している場合、社債権者集会を招集するには、招集者は、社債権者集会の日の3週間前までに、社債権者集会を招集する旨及び社債権者集会の招集に関する事項を公告しなければならない（720Ⅳ・719各号）。

✕ 025

社債管理者は、社債権者集会の決議によらなければ、社債の全部についてその支払いの猶予をしてはならない（706Ⅰ①）。そして、社債権者集会において当該事項を可決するには、議決権者の議決権の総額の5分の1以上で、かつ、出席した議決権者の議決権の総額の3分の2以上の議決権を有する者の同意がなければならない（724Ⅱ①）。

○ 026

社債権者は、社債権者集会において、その有する当該種類の社債の金額の合計額（償還済みの額を除く。）に応じて、議決権を有する（723Ⅰ）。しかし、社債発行会社は、その有する自己の社債について、社債権者集会において議決権を有しない（723Ⅱ）。

社債権者集会において議決権を行使しようとする無記名社債の社
債権者は、当該社債権者集会の日の1週間前までに、その社債券
を供託しなければならない。

社債権者集会に出席しない社債権者は、当該社債権者集会におけ
る議決権者の数の多寡にかかわらず、書面によって議決権を行使
することができる。

社債権者と社債管理者との利益が相反する場合において、社債権
者のために裁判上又は裁判外の行為をする必要があるときは、社
債管理者は、事務を承継する社債管理者を定めて、辞任しなけれ
ばならない。

社債権者集会の決議は、裁判所の認可を受けなければ、その効力
を生じない。

新株予約権付社債に付された新株予約権については、当該新株予
約権の内容として一定の事由が生じた場合に限り当該新株予約権
を行使することができる旨の条件を定めることはできない。

× 027

社債権者集会において議決権を行使しようとする無記名社債の社債権者は、社債権者集会の日の1週間前までに、その社債券を招集者に提示しなければならない（723Ⅲ）。

○ 028

社債権者集会については、社債権者集会に出席しない社債権者は、書面によって議決権を行使することができる（726Ⅰ）。この点、当該書面による議決権行使は、社債の総額やその発行形態、社債権者の数に関係なく、認めなければならない。

× 029

社債権者と社債管理者との利益が相反する場合において、社債権者のために裁判上又は裁判外の行為をする必要があるときは、裁判所は、社債権者集会の申立てにより、特別代理人を選任しなければならない（707）。

× 030

社債権者集会の決議は、原則として裁判所の認可を受けなければ、効力を生じない（734Ⅰ）。しかし、いわゆる「みなし決議」の場合には、社債権者の保護に欠けることはないことから、裁判所の認可は不要である（735の2Ⅰ・Ⅳ）。

× 031

新株予約権の内容として一定の事由が生じた場合に限り当該新株予約権を行使することができる旨の条件を定めることはできる（911Ⅲ⑫二参照）。

032 ☐☐☐　　　　　　　　平17-29-3（平12-30-エ、平30-29-オ）

新株予約権付社債は、社債が消滅していない場合でも、新株予約権だけを譲渡することができる。

033 ☐☐☐　　　　　　　　　　　　　　　　平31-29-エ

株式会社は、新株予約権付社債を発行した日以後遅滞なく、新株予約権原簿及び社債原簿を作成しなければならない。

034 ☐☐☐　　　　　　　　　　　　　　　　平31-29-ア

株式会社は、その発行する新株予約権付社債を引き受ける者の募集をしようとする場合には、新株予約権付社債に付された募集新株予約権と引換えに金銭の払込みを要することとするときであっても、当該募集新株予約権と引換えにする金銭の払込みの期日を定めることを要しない。

035 ☐☐☐　　　　　　　　　　　平31-29-イ（令5-33-エ）

株式会社は、新株予約権付社債を発行する場合には、各社債の金額又は社債権者の数にかかわらず、社債管理者を定めることを要しない。

036 ☐☐☐　　　　　　　　　　　　　　　　平31-29-ウ

株式会社は、自己新株予約権付社債に付された新株予約権を行使することができる。

× 032

新株予約権付社債は、新株予約権と社債の2つの性質を有するものであるが、その2つが新株予約権付社債という非分離の1つの権利となっており、社債が消滅していなければ、新株予約権だけを譲渡することはできない（254Ⅱ）。

○ 033

株式会社は、新株予約権付社債を発行した場合には、当該新株予約権付社債を発行した日以後遅滞なく、新株予約権原簿及び社債原簿を作成しなければならない（249・681）。

○ 034

株式会社は、新株予約権付社債に付された募集新株予約権と引換えに金銭の払込みを要することとするときであっても、必ずしも当該募集新株予約権と引換えにする金銭の払込みの期日を定めることを要しない（238Ⅰ⑤）。

× 035

会社は、社債を発行する場合には、各社債の金額が1億円以上である場合、又は、ある種類の社債の総額を当該種類の各社債の金額の最低額で除して得た数が50を下回る場合を除き、社債管理者を定めなければならない（702、会社施規169）。

× 036

株式会社は、自己新株予約権を行使することができない（280Ⅵ）。

社債

❶ 社債

第12編

組織再編

❶ 合併

吸収合併

001 ☐☐☐ 令5-34-ア

株式会社を吸収合併存続会社とし、合名会社を吸収合併消滅会社とする吸収合併は、することができない。

002 ☐☐☐ 平24-34-エ

吸収合併消滅会社の吸収合併による解散は、吸収合併の登記の後でなければ、これをもって第三者に対抗することができない。

003 ☐☐☐ 平30-34-オ

吸収合併消滅株式会社の代表取締役が効力発生日後吸収合併の登記の前に第三者に対し吸収合併消滅株式会社が所有していた不動産を譲渡した場合には、吸収合併存続株式会社が吸収合併により当該不動産を取得したことは、当該第三者が悪意であるときであっても、当該第三者に対抗することができない。

004 ☐☐☐ 平24-34-イ

吸収合併をする場合には、吸収合併存続会社が吸収合併消滅会社の債務の一部を承継しないこととすることができる。

✕ **001**

合併は、会社法上の会社の種類を問わず、会社間で行うことができる（748前段）。

○ **002**

吸収合併消滅会社の吸収合併による解散は、吸収合併の登記の後でなければ、これをもって第三者に対抗することができない（750Ⅱ）。

○ **003**

吸収合併による消滅会社の消滅の効果については、合併の登記をするまでの間は、第三者に対し、善意・悪意を問わず、対抗することができない（750Ⅱ）。

✕ **004**

吸収合併とは、会社が他の会社とする合併であって、消滅会社の権利義務の全部を存続会社に承継させるものをいう（2㉗）。したがって、吸収合併をする場合には、吸収合併存続会社が吸収合併消滅会社の債務の一部を承継しないこととすることはできない。

組織再編

❶ 合併

会社がその有する不動産を第三者に譲渡し、その後に当該会社を吸収合併消滅会社とする吸収合併が効力を生じた場合には、当該第三者は、当該不動産について所有権の移転の登記をしなければ、当該所有権の取得を吸収合併存続会社に対抗することができない。

吸収合併存続株式会社の甲種種類株式と乙種種類株式の価値が等しい場合には、吸収合併消滅株式会社の株主Aに対して甲種種類株式1株を、吸収合併消滅株式会社の株主Bに対して乙種種類株式1株を、それぞれ交付するという吸収合併契約における合併対価の割当てに関する事項についての定めをすることができる。

合併前から存続会社の取締役・監査役であった者の任期は、合併契約で別段の定めがない限り、合併後最初に到来する決算期に関する定時総会の終結時までとなる。

吸収合併存続株式会社が株主総会の決議によって吸収合併契約の承認を受けなければならない場合において、承継する吸収合併消滅株式会社の資産に吸収合併存続株式会社の株式が含まれるときは、吸収合併存続株式会社の取締役は、その承認を受ける株主総会において、当該株式に関する事項を説明しなければならない。

吸収合併存続会社は、効力発生日に、吸収合併消滅会社の権利義務を承継する（750Ⅰ・752Ⅰ）。この点、吸収合併消滅会社が、当該効力発生日前に第三者に対して不動産を譲渡した場合、吸収合併存続会社は、当該第三者に対する契約上の移転登記手続義務を承継するため、第三者と対抗関係に立つことはない。

吸収合併消滅株式会社の株主に対する合併対価の割当てに関する事項は、吸収合併消滅株式会社の株主の有する株式の数に応じて金銭等を交付すること、つまり、吸収合併消滅株式会社の一株に対して同内容・同価値の合併対価を交付することを内容とするものでなければならない（749Ⅲ・Ⅰ）。

会社法において、組織再編行為前に就任していた存続会社等の取締役等の任期に関する規定は存在しない。

吸収合併において、承継する吸収合併消滅会社の資産に吸収合併存続株式会社の株式が含まれる場合には、取締役は、吸収合併契約の承認決議を行う株主総会において、当該株式に関する事項を説明しなければならない（795Ⅲ）。

組織再編

❶ 合併

009 □□□   令4-34-4

吸収合併が法令又は定款に違反し、吸収合併存続会社の株主が不利益を受けるおそれがあるときであっても、吸収合併存続会社の株主は、吸収合併存続会社に対し、当該吸収合併の差止めを請求することはできない。

010 □□□   平16-34-イ（平21-34-エ）

簡易な合併手続の場合には、債権者保護手続の省略が認められている。

011 □□□   平30-34-ウ

吸収合併存続株式会社が種類株式発行会社である場合において、吸収合併消滅株式会社の株主に対して合併対価として吸収合併存続株式会社の譲渡制限種類株式が割り当てられるときは、当該譲渡制限種類株式を引き受ける者の募集について当該譲渡制限種類株式の種類株主を構成員とする種類株主総会の決議を要しない旨の定款の定めがあるときであっても、吸収合併存続株式会社において、当該譲渡制限種類株式の種類株主を構成員とする種類株主総会の決議を要する。

009

吸収合併が法令又は定款に違反する場合であって、吸収合併存続会社の株主が不利益を受けるおそれがあるときは、簡易合併により吸収合併契約を承認する株主総会の決議が不要とされる場合を除き、吸収合併存続株式会社の株主は、吸収合併存続株式会社に対し、吸収合併をやめることを請求することができる（796の2①）。

株式会社が合併をする場合、当該株式会社の債権者の全部又は一部が合併について異議を述べることができる場合には、当該株式会社は、一定の事項を官報に公告し、かつ、知れている債権者には、各別にこれを催告しなければならない（789Ⅱ・799Ⅱ・810Ⅱ）。このことは、簡易合併による場合でも同様である。

定款に譲渡制限種類株式を引き受ける者の募集について当該譲渡制限種類株式の種類株主を構成員とする種類株主総会の決議を要しない旨の定款の定めがある場合には、吸収合併存続会社において、当該譲渡制限種類株式の種類株主を構成員とする種類株主総会の特別決議を要しない（795Ⅳ①・199Ⅳ・324Ⅱ⑥参照）。

組織再編

❶合併

012 □□□

平20-31-ア

株式買取請求をすることができる期間は、会社法上、14日間の場合と20日間の場合とがある。

013 □□□

平20-31-オ

株式買取請求に係る株式の買取りは、合併の消滅会社、株式交換完全子会社及び株式移転完全子会社の株主による株式買取請求の場合を除き、当該株式の代金の支払の時に、その効力を生ずる。

014 □□□

平20-31-イ

種類株式発行会社が消滅会社となる吸収合併をする場合において、種類株主総会の決議を必要とするときは、株主総会と種類株主総会の双方で議決権を行使することができる株主は、株式買取請求をするためには、そのいずれか一方で反対の議決権を行使すれば足りる。

015 □□□

平13-29-エ（平17-32-4、平30-34-イ）

株主総会の承認を得ることを要しない簡易な合併手続において、吸収合併存続株式会社の株主は、合併に反対の場合でも、株式の買取りを請求することができない。

012

116条1項各号の行為をする場合、株式会社が株式の併合をすることにより株式の数に一株に満たない端数が生ずる場合、事業譲渡等をする場合又は吸収型再編、株式交付をする場合における株式買取請求は、効力発生日の20日前の日から効力発生日の前日までの間にしなければならない（116V・182の4IV・469V・785V・797V・816の6V）。また、新設型再編をする場合における株式買取請求は、新設合併等をする旨並びに他の新設合併消滅会社、新設分割会社又は株式移転完全子会社及び設立会社の商号及び住所を通知又は公告をした日から20日以内にしなければならない（806V）。

株式買取請求に係る株式の買取りは、株式買取請求が認められる行為の効力発生日に、その効力を生ずる（117VI・182の5VI・470VI・786VI・798VI・807VI・816の7VI）。

種類株式発行会社が消滅会社となる吸収合併をする場合において、種類株主総会の決議を必要とするときは、株主総会と種類株主総会の双方で議決権を行使することができる株主が株式買取請求権を行使するためには、株主総会と種類株主総会の双方で反対しなければならない。

株主総会の承認を得ることを要しない簡易な合併手続の場合には、反対株主は、吸収合併存続株式会社に対し、自己の有する株式を公正な価格で買い取ることを請求することができない（797I但書）。

組織再編

❶
合併

吸収合併存続株式会社に対してされた株式買取請求に係る株式の
買取りは、効力発生日に、その効力を生ずる。

吸収合併消滅株式会社の新株予約権の新株予約権者に金銭を交付
することとされた場合、当該新株予約権者は、当該吸収合併消滅
株式会社に対し、その新株予約権を公正な価格で買い取ることを
請求することができる。

吸収合併をする場合において、吸収合併消滅会社が新株予約権を
発行しているときは、当該新株予約権に係るすべての新株予約権
者が当該新株予約権の買取請求をすることができる。

吸収合併消滅株式会社が新株予約権を発行しているときは、吸収
合併存続株式会社は、吸収合併に際して、当該新株予約権の新株
予約権者に対し、当該新株予約権に代えて、当該吸収合併存続株
式会社の株式を交付することはできない。

○ 016

吸収合併をする場合には、吸収合併存続株式会社の反対株主は、吸収合併存続株式会社に対し、自己の有する株式を公正な価格で買い取ることを請求することができる（797 I 本文）。そして、反対株主による株式買取請求がされた場合、当該株式買取請求に係る株式の買取りは、効力発生日に、その効力を生ずる（798 Ⅵ）。

○ 017

吸収合併消滅株式会社の新株予約権であって、吸収合併存続株式会社から交付される新株予約権の内容等（763⑩・⑪）が吸収合併消滅株式会社の新株予約権の権利内容として定められていた承継条件（236 I ⑧）に合致する新株予約権以外の新株予約権の新株予約権者は、吸収合併消滅株式会社に対して、新株予約権買取請求をすることができる（787 I ①・749 I ④・⑤・236 I ⑧イ）。

× 018

吸収合併消滅会社が新株予約権を発行している場合、新株予約権買取請求権は、吸収合併契約において定められた新株予約権の承継に関する事項についての定め（749 I ④・⑤）が、新株予約権の内容として定められた新株予約権の承継に関する条件（236 I ⑧イ）に合致しない新株予約権の新株予約権者に限り認められ（787 I ①）、すべての新株予約権者に認められるわけではない。

○ 019

会社が吸収合併をする場合において、吸収合併存続会社が株式会社であって、吸収合併消滅株式会社が新株予約権を発行しているときは、吸収合併契約において、吸収合併存続株式会社が、吸収合併に際して当該新株予約権の新株予約権者に対し、当該新株予約権に代えて交付するものと定められるのは、当該吸収合併存続株式会社の新株予約権又は金銭である（749 I ④）。

組織再編

❶ 合併

Ａ株式会社とその発行済株式の全部を有するＢ株式会社とが吸収合併をする場合には、吸収合併存続会社がＢ株式会社であるときでも、Ｂ株式会社の債権者は、Ｂ株式会社に対し、当該吸収合併について異議を述べることができる。

吸収合併契約において定めた効力発生日に債権者の異議手続が終了していない場合には、効力発生日後に債権者の異議手続を終えたときであっても、吸収合併は、その効力を生じない。

新設合併

２以上の株式会社が新設合併をする場合において、新設合併設立会社が株式会社であるときは、新設合併契約において、新設合併消滅株式会社の株主に対して、新設合併設立会社の株式に加え、金銭を交付することを定めることができる。

株式会社と株式会社とが新設合併をする場合において、一方の株式会社が他方の株式会社の特別支配会社であるときは、当該他方の株式会社は、株主総会の決議によって、新設合併契約の承認を受けることを要しない。

○ **020**

吸収合併をする場合、吸収合併存続会社の債権者は、吸収合併存続会社に対し、吸収合併について異議を述べることができ、この場合には、吸収合併存続会社は、債権者異議手続をとらなくてはならない（799Ⅰ①・Ⅱ①・Ⅲ）。そして、吸収合併存続会社が吸収合併消滅会社の特別支配会社であるときであっても、当該債権者異議手続を省略することはできない。

○ **021**

吸収合併は、吸収合併契約で定めた効力発生日にその効力を生じる（750Ⅰ）。もっとも、効力発生日において、債権者の異議手続が終了していない場合、その後にこれらの手続を終了させたとしても、吸収合併の効力は生じない（750Ⅵ・789・799）。

× **022**

新設合併契約において、消滅会社の株主又は社員に対して交付される対価の種類や額等を定めなければならない（753Ⅰ⑥・⑧）。この点、新設合併において交付することができるものは、新設合併設立株式会社の株式、社債、新株予約権及び新株予約権付社債に限られ、金銭等を交付することは認められない（753Ⅰ⑥・⑧参照）。

× **023**

新設合併消滅株式会社は、株主総会の決議によって、新設合併契約の承認を受けなければならない（804Ⅰ）。そして、新設合併においては、略式手続ができるという規定は存在しない（784Ⅰ本文参照）。

組織再編

❶合併

024 □□□　　　　　平21-34-ウ（平17-32-3、平18-29-ア）改題

新設合併は、その登記をした日にその効力が生じる。

025 □□□　　　　　　　　　　　平18-29-ウ

株式会社と株式会社とが新設合併をして、合名会社を設立することができる。

026 □□□　　　　　　　　　　　平21-34-オ

定款の絶対的記載事項である株式会社の目的、商号等については、新設合併契約で定められ、新設合併消滅株式会社は、そこで定められた事項を内容とする定款を作成し、公証人の認証を受けることにより、効力が生じる。

新設合併の効力は、新設合併により会社が成立した日、すなわち、設立の登記の日に生ずる（754Ⅰ・756Ⅰ）。

会社法上、株式会社及び持分会社は、それぞれの会社間で自由に合併することができ、いずれの会社も、新設合併設立会社となることができる（748・755・2参照）。

新設合併を行う際に作成される定款について、公証人の認証を受けなければならない旨の規定は存在しない。

組織再編

❶ 合併

❷ 株式交換・株式移転・株式交付

株式交換

027 □□□
平15-35-ア（平18-29-エ）

株式交換とは、既存の株式会社Aに対し、別の既存の株式会社Bの株主が有するすべてのB社の株式が移転して、A社がB社の完全親会社となることをいう。

028 □□□
平27-34-オ

株式交換完全子会社は、株式会社に限られるが、株式交換完全親会社は、株式会社のほか、合名会社、合資会社又は合同会社もなることができる。

029 □□□
平19-29-オ

株式交換における株式交換完全子会社の発行済株式総数は、株式交換によっては変動しない。

030 □□□
平27-34-エ

A株式会社がB株式会社を株式交換完全親会社とする株式交換について、当該株式交換の際に、A株式会社の債権者の地位に変動が生ずることはないので、会社法上、A株式会社の債権者が異議を述べる手続は定められていない。

○ **027**

株式交換とは、株式会社がその発行済株式の全部を他の株式会社又は合同会社に取得させることをいう（2㉛）。

× **028**

株式会社は、株式交換をすることができる（767）。そして、株式交換において、株式交換完全子会社となる会社は株式会社である（2㉛・768①）。また、株式交換完全親会社となる会社は、株式会社又は合同会社であり、合名会社又は合資会社を株式交換完全親会社とすることはできない（2㉛・768①・770①）。

○ **029**

株式交換とは、株式会社がその発行済株式の全部を他の株式会社又は合同会社に取得させることであり（2㉛）、株式交換完全子会社の発行済株式総数に変動が生じることはない。

× **030**

株式交換契約新株予約権が新株予約権付社債に付された新株予約権である場合、当該新株予約権付社債の社債権者は、株式交換完全子会社に対し、株式交換について異議を述べることができる（789Ⅰ③）。

組織再編

❷ 株式交換・株式移転・株式交付

株式交換完全親株式会社が株式交換に際して株式交換完全子会社の株主に対して交付する対価が金銭のみである場合には、当該株式交換完全親株式会社の債権者は、当該株式交換完全親株式会社に対し、当該株式交換について異議を述べることができない。

株式交換をする場合において、株式交換完全子会社の株主に対して交付される財産が金銭のみであるときは、株式交換完全子会社の債権者も、株式交換完全親会社の債権者も、当該株式交換について異議を述べることができない。

Ａ株式会社がＢ株式会社を株式交換完全親会社とする株式交換について、Ａ株式会社がその株式に係る株券を現に発行している場合には、Ａ株式会社は、効力発生日までにＡ株式会社に対し株券を提出しなければならない旨をその日の1か月前までに、公告し、かつ、株主及び登録株式質権者には、各別にこれを通知しなければならない。

× 031

株式交換の対価として株式交換完全子会社の株主に対して交付する金銭等が、株式交換完全親株式会社の株式以外の場合には、株式交換完全親株式会社の債権者は、株式交換について異議を述べることができる（799Ⅰ③・Ⅱ〜Ⅴ、会社施規198）。

× 032

株式交換完全親株式会社においては、株式交換の対価として株式交換完全子会社の株主に対して交付する金銭等が、株式交換完全親株式会社の株式以外の場合には、株式交換完全親株式会社の債権者は、異議を述べることができる（799Ⅰ③、会社施規198）。

○ 033

現に株券を発行している株券発行会社が株式交換をする場合、当該会社は株式交換の効力が生ずる日までに株券を会社に提出しなければならない旨を株券提出日の1か月前までに、公告し、かつ、当該株式の株主及び登録株式質権者には、各別にこれを通知しなければならない（219Ⅰ⑦）。

組織再編

❷ 株式交換・株式移転・株式交付

034 ☐☐☐ 平27-34-イ（平17-32-4）

Ａ株式会社がＢ株式会社を株式交換完全親会社とする株式交換について、Ｂ株式会社がＡ株式会社の総株主の議決権の10分の9以上を有している場合には、Ａ株式会社の反対株主は、Ａ株式会社に対し、自己の有するＡ株式会社の株式を公正な価格で買い取ることを請求することができ、また、株式交換契約において定められたＢ株式会社がＡ株式会社の株主に対して交付する対価が著しく不当である場合において、Ａ株式会社の株主が不利益を受けるおそれがあるときは、Ａ株式会社の株主は、Ａ株式会社に対し、株式交換をやめることを請求することができる。

035 ☐☐☐ 平27-34-ア

Ａ株式会社がＢ株式会社を株式交換完全親会社とする株式交換について、Ａ株式会社の株主を保護するため、会社法上、Ｂ株式会社は、株式交換に際してＡ株式会社の株主に対してその株式に代わる対価を交付しなければならない。

株式移転

036 ☐☐☐ 平31-33-オ

合同会社は、株式移転設立完全親会社になることはできない。

○ 034

株式交換をする場合（株式交換完全子会社が種類株式発行会社でない場合において、株式交換対価の全部又は一部が持分等であるときを除く。）には、株式交換完全子会社の反対株主は、株式交換完全子会社に対し、自己の有する株式を公正な価格で買い取ることを請求することができる（785Ⅰ・783Ⅱ）。また、当該株式交換が法令又は定款に違反し、又は著しく不当な条件で行われることにより不利益を受けるおそれがあるときは、株式交換完全子会社の株主は、株式交換完全子会社に対して、株式交換をやめることを請求することができる（784の2）。

× 035

株式交換契約の記載事項として、当該契約には、株式交換完全親会社が株式交換完全子会社の株主に交付する対価に関する事項を定めなければならない（768Ⅰ②）。しかし、対価を一切交付しないことも可能である。

○ 036

株式移転とは、1又は2以上の株式会社がその発行済株式の全部を新たに設立する株式会社に取得させることをいう（2㉜）。したがって、合同会社は、株式移転設立完全親会社になることはできない。

組織再編

❷ 株式交換・株式移転・株式交付

株式移転完全子会社は、株式移転計画新株予約権が新株予約権付
社債に付された新株予約権である場合における当該新株予約権付
社債についての社債権者が異議を述べることができるときを除き、
債権者の異議手続を行う必要はない。

株式移転については、株式移転計画に定められた効力発生日にそ
の効力が生じる。

株式移転をする場合、株式移転完全子会社は消滅することはない。

株式移転は会社の設立の一態様であるが、株式移転設立完全親会
社の定款については、公証人の認証を得る必要はない。

株式移転を行う場合においては、株式移転完全子会社の株主に対
し、当該株主の株式に代わるものとして株式移転設立完全親会社
の株式を交付しなければならない。

○ **037**

株式移転を行う場合、株式移転計画新株予約権が新株予約権付社債に付された新株予約権であり、当該新株予約権付社債についての社債権者が異議を述べることができるときは、株式移転完全子会社は債権者の異議手続を行わなければならない（810 I ③）。

○ **038**

株式移転の効力は、株式移転により会社が成立した日、すなわち、設立の登記の日に生ずる（774 I）。

○ **039**

株式移転は、一又は二以上の株式会社が、株式移転計画に従って新たに完全親会社を設立するものである（773）。この場合、既存の株式会社は消滅することはなく、完全子会社となって存続する（774）。

○ **040**

株式移転設立完全親会社の定款については、公証人の認証を受けることを要しない（814 I・30 I）。

○ **041**

株式移転を行う場合においては、株式移転完全子会社の株主に対し、当該株主の株式に代わるものとして、株式移転完全親会社の株式を交付しなければならない（773 I ⑤）。

042 ☐☐☐ 平17-32-1 （平21-34-ア） 改題

株式会社が会社分割をするとその当事会社の少なくとも一方は解散する。

吸収分割

043 ☐☐☐ 平25-29-ウ

株式会社は、吸収分割により、他の会社から、自己の株式を承継することができるが、親会社株式を承継することはできない。

044 ☐☐☐ 平26-34-イ改題

株式会社が吸収分割をする場合において、吸収分割会社の吸収分割契約の相手方も、会社でなければならない。

045 ☐☐☐ 令2-34-ア

株式会社は、合資会社を吸収分割承継会社とする吸収分割をすることができる。

× **042**

会社分割では、会社の事業に関して有する権利義務の全部又は一部を既存の会社に承継させる吸収分割（758）、設立する株式会社に承継させる新設分割（763）があるが、いずれの場合も分割会社は、解散することはない。

× **043**

株式会社は、吸収分割をする会社から当該株式会社の株式を承継する場合には、自己株式を取得することができる（155⑫）。また、子会社は、原則として、その親会社株式を取得してはならないが（135Ⅰ）、吸収分割により他の会社から親会社株式を承継する場合には、親会社株式の取得は制限されない（135Ⅱ③）。

○ **044**

吸収分割とは、株式会社又は合同会社がその事業に関して有する権利義務の全部又は一部を分割後他の会社に承継させることをいう（2㉙）。

○ **045**

吸収分割をする場合、承継会社は、株式会社、合名会社、合資会社、合同会社のいずれでもよい（757・2㉙・①参照）。なお、吸収分割をする場合、分割会社は、株式会社及び合同会社に限られる（757・2㉙）。

組織再編

❸ 会社分割

会社が吸収分割をする場合において、吸収分割承継株式会社は株式その他の財産をその対価とすることができる。

吸収分割株式会社は、その本店の所在地において吸収分割による変更の登記をしなければならない。

定款に別段の定めがあるときを除き、吸収分割により吸収分割承継株式会社に承継させる資産の帳簿価額の合計額がその総資産額として法務省令で定める方法により算出される額の5分の1を超えない場合でも、当該吸収分割株式会社は、吸収分割に反対する株主の株式買取請求に応じなければならない。

吸収分割承継株式会社の新株予約権の新株予約権者は、当該吸収分割承継株式会社に対し、その新株予約権を公正な価格で買い取ることを請求することができる。

○ **046**

会社が吸収分割をする場合において、吸収分割承継株式会社が吸収分割に際して吸収分割会社に対してその事業に関する権利義務の全部又は一部に代わる金銭等を交付することが**できる**（対価の柔軟化　758④）。

○ **047**

会社が吸収分割をしたときは、その効力が生じた日から２週間以内に、その本店の所在地において、吸収分割をする会社及び当該会社がその事業に関して有する権利義務の全部又は一部を当該会社から承継する会社についての変更の登記を**しなければならない**（923）。

× **048**

株式会社が吸収分割をする場合は、反対株主は、吸収分割会社に対し、株式買取請求をすることができるが（785Ⅰ）、株式会社が吸収分割により吸収分割承継会社に承継させる資産の帳簿価額が吸収分割会社の総資産額として法務省令で定める方法により算出される額の５分の１を超えない場合には、株式買取請求を**することができない**（785Ⅰ②）。

× **049**

吸収分割をする際に、吸収分割承継株式会社の新株予約権者が、吸収分割承継株式会社に対し、新株予約権買取請求ができる旨の規定は置かれていない。

組織再編

❸　会社分割

吸収分割株式会社は、吸収分割契約の相手方が吸収分割株式会社
の特別支配会社である場合には、株主総会の決議によって当該吸
収分割契約の承認を受ける必要はない。

株式会社が吸収分割をする場合において、吸収分割株式会社が吸
収分割の効力の発生の日に吸収分割承継株式会社の株式のみを配
当財産とする剰余金の配当をするときは、当該株式の帳簿価額の
総額は、当該吸収分割の効力の発生の日における吸収分割株式会
社の分配可能額を超えてはならない。

吸収分割をする場合、吸収分割承継会社においては常に債権者保
護手続をとる必要があるが、吸収分割会社においては債権者保護
手続をとる必要がない場合がある。

吸収分割株式会社の債権者は、吸収分割後の吸収分割株式会社に
対して債務の履行を請求することができないときであっても、吸
収分割株式会社に対し、吸収分割について異議を述べることがで
きない。

吸収分割承継株式会社が吸収分割株式会社の特別支配会社である場合、吸収分割株式会社において、吸収分割契約の承認に係る株主総会の決議を省略することができる（略式分割　784 I 本文・783 I）。

× 051

剰余金の配当により株主に対して交付する金銭等の帳簿価額の総額は、当該剰余金の配当がその効力を生ずる日における分配可能額を超えてはならない（財源規制、461 I ⑧）。しかし、株式会社が吸収分割をする場合において、吸収分割株式会社が効力発生日に吸収分割承継株式会社の株式のみを配当財産とする剰余金の配当をするときには、当該財源規制の適用はない（792②・758⑧ロ）。

○ 052

吸収分割をする場合、吸収分割承継株式会社の債権者については、常に債権者保護手続を要する（799 I ②・II）。これに対して、吸収分割会社においては、吸収分割承継会社に承継する債務につき、吸収分割株式会社の債権者が吸収分割株式会社に対し債務の履行を請求することができる場合（併存的債務引受又は連帯保証をする場合）は、債権者保護手続は不要である（789 I ②・II）。

× 053

吸収分割をする場合、吸収分割株式会社は、吸収分割後吸収分割株式会社に対して債務の履行を請求することができない吸収分割株式会社の債権者に対し、債権者の異議手続をとらなければならない（789 I ②）。

組織再編

❸ 会社分割

吸収分割株式会社の不法行為によって生じた債務の債権者であって吸収分割契約において吸収分割後に吸収分割株式会社に対して債務の履行を請求することができないものとされているものに対して各別の催告がされなかったときは、当該債権者は、その者が吸収分割株式会社に知れていないものであっても、吸収分割株式会社に対し、吸収分割株式会社が吸収分割の効力の発生の日に有していた財産の価額を限度として、債務の履行を請求することができる。

吸収分割株式会社が吸収分割承継株式会社に承継されない債務の債権者（以下「残存債権者」という。）を害することを知って吸収分割をした場合には、残存債権者は、吸収分割承継株式会社が吸収分割の効力が生じた時において残存債権者を害することを知らなかったとしても、当該吸収分割承継株式会社に対し、当該債務の履行を請求することができる。

新設分割

新設分割は、その登記をした日にその効力が生じる。

○ 054

吸収分割株式会社に知れているか否かにかかわらず、吸収分割に対して異議を述べることができる吸収分割株式会社の債権者であって、債権者保護手続の各別の催告を受けなかったものは、吸収分割契約において吸収分割後に吸収分割株式会社に対して債務の履行を請求することができないものとされているときであっても、吸収分割株式会社に対して、吸収分割株式会社が効力発生日に有していた財産の価額を限度として、当該債務の履行を請求することができる（759Ⅱ・789Ⅰ②・Ⅱ・Ⅲ）。

× 055

吸収分割承継株式会社が吸収分割の効力が生じた時において残存債権者を害することを知らなかったときは、残存債権者は、吸収分割承継株式会社に対して、当該債務の履行を請求することができない（759Ⅳ但書）。

○ 056

新設分割の効力は、新設分割により会社が成立した日、すなわち、設立の登記の日に生ずる（764Ⅰ・766Ⅰ）。

組織再編

❸ 会社分割

C株式会社が新設分割をしてD株式会社を設立する場合において、新設分割によりD株式会社に承継させる資産の帳簿価額の合計額がC株式会社の総資産額の5分の1を超えないときは、当該新設分割後にC株式会社に対して債務の履行（当該債務の保証人としてD株式会社と連帯して負担する保証債務の履行を含む。）を請求することができないC株式会社の債権者は、C株式会社に対し、当該新設分割について異議を述べることができない。

組織変更

組織変更をする株式会社の新株予約権の新株予約権者は、当該株式会社に対し、自己の有する新株予約権を公正な価格で買い取ることを請求することができる。

組織変更をする合同会社は、債権者が一定の期間内に異議を述べることができる旨等の公告を、官報のほか、定款の定めに従い、時事に関する事項を掲載する日刊新聞紙に掲載する方法又は電子公告の方法によりするときであっても、知れている債権者には、各別にこれを催告しなければならない。

× 057

新設分割をする場合において、新設分割により新設分割設立会社に承継させる資産の帳簿価額の合計額が、新設分割会社の総資産額として法務省令で定める方法により算定される額の5分の1（これを下回る割合を新設分割株式会社の定款で定めた場合にあっては、その割合）を超えないときは、新設分割株式会社において株主総会特別決議を経ることを要しないが（簡易分割805、会社施規207）、簡易分割を行う場合であっても当該債権者異議手続を省略することはできない。

○ 058

株式会社が組織変更をする場合には、組織変更をする株式会社の新株予約権の新株予約権者は、当該株式会社に対し、自己の有する新株予約権を公正な価格で買い取ることを請求することができる（777Ⅰ）。

× 059

組織変更をする持分会社（合同会社に限る。）は、官報のほかに定款に定める日刊新聞紙に掲載する方法、又は電子公告の方法をとれば、知れている債権者への各別の催告を省略することが認められる（781Ⅱ・779Ⅱ①・③・Ⅲ・939Ⅰ②・③）。

組織再編

3 会社分割

第13編

訴訟

① 訴訟

発起設立により株式会社を設立した場合、株式会社の設立の無効の訴えの提訴期間は、会社法上の公開会社にあっては会社の成立の日から1年以内であり、それ以外の株式会社にあっては会社の成立の日から2年以内である。

発起設立により株式会社を設立した場合、監査役設置会社の設立の無効の訴えについては、株主、取締役、監査役又は清算人は原告適格を有するが、発起人は原告適格を有しない。

株式会社の設立の無効の訴えに係る請求を認容する判決が確定した場合には、設立は、初めから無効となる。

募集設立の場合において、株式会社の成立後、定款に記載された設立に際して出資される財産の最低額に相当する出資がなかったことを原因として当該株式会社の設立の無効の訴えに係る請求を認容する判決が確定したときは、発起人は、設立時募集株式の引受人に対し、連帯して、払込金を返還する責任を負う。

会社法上の公開会社と公開会社でない株式会社のいずれにおいても、募集株式の発行の無効の訴えを提起することができる期間は、当該株式の発行の効力が生じた日から6か月以内である。

× **001**

株式会社の設立の無効は、会社法上の公開会社であるか否かにかかわらず、会社の成立の日から2年以内に、訴えをもってのみ主張することができる（828Ⅰ①）。

○ **002**

監査役設置会社の設立無効の訴えは、株主、取締役、監査役又は清算人に限り、提起することができる（828Ⅱ①参照）。

× **003**

会社の設立の無効の訴えに係る請求を認容する判決が確定したときは、当該判決において無効とされた行為は、将来に向かってその効力を失う（839・834①）。

× **004**

株式会社は、設立の無効の訴えに係る請求を認容する判決が確定した場合には、清算をしなければならない（475②）。したがって、設立の無効の訴えに係る請求を認容する判決が確定した場合、株式会社は清算をしなければならないため、発起人が設立時募集株式の引受人に対し、払込金を返還する責任を負うわけではない。

× **005**

株式会社の成立後における株式の発行の無効及び自己株式の処分の無効は、それぞれの効力が生じた日から6か月以内（会社法上の公開会社でない株式会社にあっては、それぞれの効力が生じた日から1年以内）に、訴えをもってのみ主張することができる（会社成立後における株式の発行の無効につき828Ⅰ②、自己株式の処分の無効につき828Ⅰ③）。

006 ☐☐☐   平10-31-1（平22-34-ア）

会社法上の公開会社の代表取締役が募集株式の発行差止めの仮処分命令に違反してした募集株式の発行は、判例で無効とされている。

007 ☐☐☐   平22-34-エ

株主は、募集に係る株式の発行がされた後は、当該株式の発行に関する株主総会の決議の無効確認の訴えを提起することはできない。

008 ☐☐☐   平18-34-オ

自己株式の処分の無効の訴えは形成訴訟であるから、その請求を認容する確定判決は第三者に対してもその効力を有するが、株主総会の決議の無効の確認の訴えは確認訴訟であるから、その請求を認容する確定判決は第三者に対してその効力を有しない。

009 ☐☐☐   平23-31-ウ

執行役の責任を追及する訴えは、株主代表訴訟として提起することができない。

010 ☐☐☐   平21-33-オ

株式会社の事業の全部の譲渡の無効は、訴えをもってのみ主張することができる。

◯ **006**

代表取締役が募集株式発行の差止めの仮処分命令に違反してした募集株式の発行は無効とされている（最判平5.12.16参照）。

◯ **007**

新株が既に発行された後は、新株発行に関する株主総会決議無効確認の訴え（830Ⅱ）は、確認の利益を欠き提起することはできない。本肢の場合には、新株発行無効の訴えを提起すべきである（最判昭40.6.29）。

✕ **008**

自己株式の処分の無効の訴え（834③）及び株主総会の決議の無効の確認の訴え（834⑯）は、いずれもこれを認容する確定判決は、第三者に対しても効力を有する（838）。

✕ **009**

6か月前から引き続き株式を有する株主は、株式会社に対し、書面その他の法務省令で定める方法により、役員等の責任を追及する訴えの提起を請求することができ（847Ⅰ）、執行役はこの「役員等」に含まれる（847Ⅰ・423Ⅰ）。

✕ **010**

事業譲渡の無効については訴えをもってのみ主張することができる旨の規定は存しない（828Ⅰ参照）。

社員がその債権者を害することを知って持分会社を設立したことを原因とする持分会社の設立の取消しの訴えについては、当該持分会社のほか、当該社員をも被告としなければならない。

持分会社の設立の取消しを認容する確定判決には遡及効がないが、株主総会の決議の取消しを認容する確定判決には遡及効がある。

吸収合併をする場合において、吸収合併消滅会社の株主に対して交付される財産が金銭のみであるときであっても、当該吸収合併の効力が生じた日において当該吸収合併消滅会社の株主であった者は、当該吸収合併につきその無効の訴えを提起することができる。

吸収合併を無効とする判決が確定した場合には、吸収合併の効力発生後当該判決の確定前に吸収合併存続会社がした剰余金の配当も、無効となる。

○ **011**

社員がその債権者を害することを知って持分会社を設立したことを原因とする持分会社の設立の取消しの訴えについては、当該持分会社のほか、当該社員をも被告としなければならない（834Ⅰ⑲・832②）。

○ **012**

持分会社の設立の取消しを認容する確定判決には遡及効がなく、将来に向かってその効力を失う（839・834⑱・⑲）ため、解散に準じて清算が開始する（644③）。これに対して、株主総会の決議の取消しを認容する確定判決には839条の適用はなく、一般原則に従って決議の取消しの効力はさかのぼって生ずる。

○ **013**

吸収合併の効力発生日において吸収合併消滅会社の株主であった者は、吸収合併無効の訴えを提起することができる（828Ⅱ⑦）。この点、株主たる地位は吸収合併の効力発生日において有していればよく、合併の対価として金銭のみが交付された場合でも提訴権を失うことはない。

× **014**

吸収合併を無効とする判決が確定すると、その判決は、第三者に対しても効力を及ぼすが（838）、当該合併は、将来に向かってその効力を失う（839）。そのため、当該判決の確定は、当該合併の効力発生後判決確定前に吸収合併存続会社がした剰余金の配当に影響を及ぼさない。

LEC東京リーガルマインド　令和7年版　司法書士合格ゾーンポケット判択一過去問肢集　**335**
5 会社法・商法

会社分割の無効は、当該組織再編の日から6か月以内に訴えによってのみ主張することができる。

会社分割の無効は、訴えによってのみ主張することができるが、その期間は会社分割の効力が生じた日から6か月以内である（828Ⅰ⑨・⑩）。

第14編

会社法総則・商法総則、商行為

❶ 商行為

001 ☐☐☐

商行為の代理に際し、代理人が本人のためにすることを示さない
で法律行為をした場合において、当該代理人が本人のためにその
行為をすることを相手方が過失により知らなかったときは、当該相
手方は、当該代理人に対して履行の請求をすることができない。

002 ☐☐☐
平26-35-ウ

商行為の代理に際し、代理人が本人のためにすることを示さない
で法律行為をし、相手方がその選択により本人又は代理人のいず
れかに対して債務を負担することを主張することができる場合に
おいて、本人が当該相手方に対し当該債務の履行を求める訴えを
提起し、その訴訟の係属中に当該相手方が当該代理人を債権者と
して選択したときは、本人の請求は、当該訴訟が係属している間、
当該代理人の債権につき催告に準じた時効の完成猶予の効力を及
ぼす。

003 ☐☐☐
平26-35-ア

代理人が本人のためにすることを示さないで法律行為をした場合
であっても、当該法律行為が当該代理人にとって商行為となると
きは、当該法律行為は、本人に対してその効力を生ずる。

004 ☐☐☐
平元-33-2（平26-35-エ）

商行為の受任者は、委任の本旨に反しない範囲内において、委任
を受けない行為をすることができる。

○ 001

商行為の代理人が本人のためにすることを示さないでこれをした場合であっても、その行為は、本人に対してその効力を生ずる（商504）。しかし、相手方が、代理人が本人のためにすることを知らなかったときは、代理人に対して履行の請求をすることができる（商504但書）。この点、本人のためにすることを知らなかったことについて、相手方に過失があったときには、相手方は保護されない（最大判昭43.4.24）。

○ 002

商行為の代理に際し、代理人が本人のためにすることを示さないで法律行為をし、相手方がその選択により本人又は代理人のいずれかに対して債務を負担することを主張することができる場合において、相手方が選択する前に本人が相手方に対し裁判上の請求をし、その後、相手方が代理人との法律行為を選択した場合には、本人がした裁判上の請求はその訴訟が係属している間、代理人の債権につき催告に準じた完成猶予の効力を及ぼす（最判昭48.10.30）。

× 003

商行為の代理人が本人のためにすることを示さないでこれをした場合であっても、その行為は、本人に対してその効力を生ずる（商504）。この点、商法504条が適用されるのは、商行為の代理人についてであるが、これは本人のために商行為となる行為についての代理行為の意味である（最判昭51.2.26）。

○ 004

商行為の受任者は、委任の本旨に反しない範囲内において、委任を受けない行為をすることができる（商505）。

委任者にとって商行為となる委任契約により代理人に代理権を付
与したときは、当該代理権は、委任者の死亡によって消滅する。

数人の者がそのうちいずれの者のためにも商行為とならない行為
によって債務を負担した場合であっても、当該行為が債権者のた
めに商行為となるときは、その債務は、当該数人の者が連帯して
負担する。

保証人がある場合において、主たる債務者が自己のために商行為
となる行為によって主たる債務を負担したときは、当該主たる債
務者及び当該保証人が各別の行為によって債務を負担したときで
あっても、当該保証人は、当該主たる債務者と連帯して債務の履
行をする責任を負う。

商人がその営業のために商人でない者に対して金銭を貸し付けた
場合には、当該商人は、利息についての定めがないときでも、弁
済期において法定利率による利息を請求することができる。

× **005**

商行為の委任による代理権は、本人の死亡によっては、消滅しない（商506）。

× **006**

数人の者がその一人又は全員のために商行為となる行為によって債務を負担したときは、その債務は、各自が連帯して負担する（商511Ⅰ）。この点、当該規定が適用されるのは、当該行為が債務者にとって商行為となる場合に限られており、債権者のためにのみ商行為であるときには本条は適用されない（大判明45.2.29）。

○ **007**

保証人がある場合において、債務が主たる債務者の商行為によって生じたものであるとき、又は保証が商行為であるときは、主たる債務者及び保証人が各別の行為によって債務を負担したときであっても、その債務は、各自が連帯して負担する（商511Ⅱ）。

× **008**

商人間において金銭の消費貸借をしたときは、貸主は、法定利率による利息を請求することができる（商513Ⅰ）が、当事者の双方又は一方が商人でない場合には、特約がなければ利息を請求することはできない。

商人間の売買において、売買の性質により、一定の期間内に履行をしなければ契約をした目的を達することができない場合において、当事者の一方が履行をしないでその時期を経過したときは、相手方は、直ちにその履行の請求をした場合を除き、相当期間を定めた履行の催告をすることなく、直ちにその契約の解除をすることができる。

商人間の売買において、買主が売買の目的物の受領を拒んだ場合には、その目的物について滅失又は損傷のおそれがないときでも、売主は、相当期間を定めて催告をした後にその目的物を競売に付することができる。

商人間の売買において、売主が売買の目的物の数量に不足があることにつき悪意であった場合には、買主は、売買の目的物を受領した際に遅滞なくその物を検査することを怠ったときでも、売主に当該数量不足を理由とする履行の追完の請求をすることができる。

✕ 009

商人間の売買において、売買の性質または当事者の意思表示により、特定の日時又は一定の期間内に履行をしなければ契約をした目的を達することができない場合において、当事者の一方が履行をしないでその時期を経過したときは、相手方は、直ちにその履行の請求をした場合を除き、契約の解除を<u>したものとみなす</u>（商525）。

○ 010

商人間の売買において、買主がその目的物の受領を拒み、又はこれを受領することができないときは、売主は、その物を供託し、又は相当な期間を定めて催告をした後に競売に付することができる（商524 I 前段）。

○ 011

商人間の売買において、買主は、その売買の目的物を受領したときは、遅滞なく、その物を検査しなければならない（商526 I）。そして、買主は、その検査により売買の目的物が契約の内容に適合しないことを発見したときは、直ちに売主に対してその旨の通知を発しなければ、履行の追完の請求をすることができない（商526 II 前段）。しかし、売主がその不適合につき悪意であった場合には、買主はその不適合を理由とする追完請求をすることができる（商526 III）。

会社法総則・商法総則・商行為

① 商行為

売買の目的物につきその種類、品質又は数量に関して契約の内容
に適合しないことを直ちに発見することができない場合において、
買主が6か月以内にその不適合を発見したときは、直ちに売主に
その旨の通知を発しなくても、買主は、売主に対し、契約の内容に
適合する物の給付を請求することができる。

商人間の売買において、その売買の目的物が種類又は品質に関して契約の内容に適合しないことを直ちに発見することができない場合に、買主が6か月以内にその不適合を発見したときは、直ちに売主に対してその旨の通知を発しなければ、買主は、売主に対し、その不適合を理由とする履行の追完を請求することができない（商526Ⅱ後段）。

013 ☐☐☐　　　　　　　　　　　　　　　　　　平7-27-ウ

会社は、代表取締役の選定の登記をした後であっても、正当の事由によって選定の事実を知らない第三者には対抗することができない。

014 ☐☐☐　　　　　　　　　　　　　　　　　　平24-35-イ

小商人でない商人は、その支配人の代理権が消滅したときは、その登記の後でなければ、これをもって善意の第三者に対抗することができない。

商号

015 ☐☐☐　　　　　　　　　　　　　　　　　　平29-35-3

一人の商人は、数種の独立した営業を行う場合であっても、複数の商号を選定することができない。

016 ☐☐☐　　　　　　　　　　　　　　　　　　平21-35-ア

商人は、その商号を登記しなければならない。

017 ☐☐☐　　　　　　　　　　　　　　　　　　平29-35-4

商人（小商人、会社及び外国会社を除く。）の商号に関し、商号は、数人の相続人が共同相続をすることができない。

○ **013**

登記・公告の後は、第三者の善意・悪意を問わず登記事項を第三者に対抗することができる（積極的公示力）。しかし、交通の途絶などのように客観的障害による正当な事由によって知ることができなかった者に対しては対抗することができない（908Ⅰ後段）。

○ **014**

商人が支配人を選任したときや、支配人の代理権が消滅したときは、その登記をしなければならない（商22）。そして、支配人の選任や代理権の消滅は、登記の後でなければ、これをもって善意の第三者に対抗することができない（商9Ⅰ前段）。

× **015**

個人商人が、複数の営業を行う場合には、各営業につき別個の商号を使用することができる。したがって、数種の独立した営業を行う場合には、複数の商号を選定することができる。

× **016**

商人はその商号の登記をすることができる（商11Ⅱ）が、商号の登記をするかどうかは任意であって、義務ではない。

× **017**

商号は、財産権の一種であるから、相続の対象となり、相続人が数人あるときは、それらの者が共同して商号を承継する。

会社法総則・商法総則・商行為

❷ 会社法総則・商法総則

018 ▢▢▢ 　　　　　　　　　　平29-35-2（平21-35-イ）

自己の商号を使用して営業を行うことを他人に許諾した商人は、当
該商人が当該営業を行うものと誤認して当該他人と取引をした者
に対し、当該他人が当該取引に関する不法行為により負担するこ
ととなった損害賠償債務を弁済する責任を負わない。

019 ▢▢▢ 　　　　　　　　　　　　　　　　令5-35-イ

自己の商号を使用して営業を行うことを他人に許諾した商人が当
該 他人と取引した者に対して当該取引によって生じた債務を弁済
する責任を負うには、特段の事情がない限り、当該他人の営業が
当該商人の営業と同種の営業であることを要する。

020 ▢▢▢ 　　　　　　　　　　　　　　　　令5-35-オ

営業を譲り受けた商人は、譲渡人の商号を引き続き使用する場合
において、営業の譲渡がされた後、遅滞なく、譲渡人の債務を弁
済する責任を負わない旨の登記をしたときは、譲渡人の営業によっ
て生じた債務を弁済する責任を負わない。

021 ▢▢▢ 　　　　　　　　平2-34-2（平21-35-ウ、平29-35-5）

商号は営業とともにする場合でなければ、これを譲渡することはで
きない。

✕ **018**

自己の商号を使用して営業又は事業を行うことを他人（以下「名板借人」という。）に許諾した商人（以下「名板貸人」という。）は、名板借人が当該営業を行うものと誤認して名板借人と取引をした者に対し、名板借人と連帯して、当該取引によって生じた債務を弁済する責任を負う（商14）。この点、名板借人の不法行為による損害賠償債務については、原則として商法14条は適用されないとするのが一般的な解釈であるが、詐欺的行為のような取引行為の外形をもつ不法行為により発生した損害賠償債務については、商法14条が適用され、名板貸人は、当該損害賠償債務を弁済する責任を負う（最判昭58.1.25）。

◯ **019**

名板貸人が責任を負う場合には、名板借人の営業は、特段の事情のない限り、その許諾をした名板貸人の営業と同種の営業であることを要する（最判昭43.6.13）。

◯ **020**

営業を譲り受けた商人（以下「譲受人」という。）が譲渡人の商号を引き続き使用する場合において、営業の譲渡がされた後、遅滞なく、譲受人が譲渡人の債務を弁済する責任を負わない旨を登記したときは、譲受人は、譲渡人の営業によって生じた債務を弁済する責任を負わない（商17Ⅱ前段・Ⅰ）。

✕ **021**

商号は営業とともにする場合のほか、営業を廃止する場合にも譲渡することができる（商15Ⅰ）。

商人（小商人、会社及び外国会社を除く。）の商号に関し、商人は、その商号の登記をしなければ、不正の目的をもって自己の商号を使用する者に対し、その使用の差止めの請求をすることができない。

会社の使用人・商業使用人

取締役会設置会社（監査等委員会設置会社を除く。）の支配人又は代表取締役について、支配人は、当該株式会社の許可を受けなければ、他の異業種の会社の取締役となることはできないが、代表取締役は、当該株式会社の許可を受けなくても、他の異業種の会社の取締役となることができる。

支配人は、当該支配人を選任した商人の許可を受けなければ、他の商人又は会社の使用人となることができない。

支配人が当該支配人を選任した商人の許可を受けずに自己のためにその商人の営業の部類に属する取引をしたときは、当該取引によって支配人が得た利益の額は、その商人に生じた損害の額と推定される。

✕ 022

何人も、不正の目的をもって、他の商人であると誤認されるおそれのある名称又は商号を使用してはならず（商12Ⅰ）、この規定に違反する名称又は商号の使用によって営業上の利益を侵害され、又は侵害されるおそれがある商人は、その営業上の利益を侵害する者又は侵害するおそれがある者に対し、その侵害の停止又は予防を請求することができる（商12Ⅱ）。

○ 023

支配人は、会社の許可を受けなければ他の会社の取締役となることができない（12Ⅰ④）。これに対して取締役会設置会社の代表取締役は、株式会社の事業の部類に属する取引をする場合には、取締役会において、重要な事実を開示し、その承認を受けなければならない（356Ⅰ①・365Ⅰ）が、他の会社の取締役となるには会社の許可を要しない。

○ 024

支配人は、商人の許可を受けなければ、他の商人又は会社若しくは外国会社の使用人となることはできない（商23Ⅰ③）。

○ 025

支配人は、商人の許可を受けなければ、自己又は第三者のためにその商人の営業の部類に属する取引をしてはならない（商23Ⅰ②）。そして、支配人が当該規定に違反して自己又は第三者のためにその商人の営業の部類に属する取引をしたときは、当該行為によって支配人又は第三者が得た利益の額は、商人に生じた損害の額と推定する（商23Ⅱ）。

支配人の行為が支配人が代理権を有する商人の営業に関する行為
に当たるかどうかは、当該支配人の行為の性質・種類等を勘案し、
客観的・抽象的に観察して決すべきである。

商人（小商人、会社及び外国会社を除く。）の支配人の代理権は、
商人又は支配人が破産手続開始の決定を受けたことによって消滅
する。

商人（小商人、会社及び外国会社を除く。）の支配人は、商人に代わっ
てその営業に関する裁判外の行為をする権限は有するが、裁判上
の行為をする権限は有しない。

商人の営業に関する特定の事項の委任を受けた使用人の代理権に
制限を加えたときは、当該商人は、その登記をしなければならない。

商人（小商人、会社及び外国会社を除く。）の支配人の代理権に加
えた制限は、善意の第三者に対抗することができないが、支配人
の代理権に加えた制限の登記の後であれば、当該第三者が正当な
事由によってその登記があることを知らなかったときでない限り、
当該第三者に対抗することができる。

支配人の代理権とは、商人の営業又は事業に関する行為の代理権であり、商人の営業又は事業に関する行為に当たるかどうかについては、支配人の主観的事情ではなく、行為の性質や種類等から客観的・抽象的に判断すべきである（最判昭54.5.1）。

○ **027**

支配人の代理権は、支配人の死亡又は支配人が破産手続開始の決定若しくは後見開始の審判を受けた場合（民111 I ②）、商人が破産手続開始の決定を受けた場合（民111 II・653②）及び商人又は支配人から解除する場合（民111 II・651）に消滅する。

× **028**

支配人は、商人に代わってその営業に関する一切の裁判上又は裁判外の行為をする権限を有する（商21 I）。

× **029**

商人の営業に関する特定の事項の委任を受けた使用人は、当該事項に関する一切の裁判外の行為をする権限を有する（商25 I）。そして、当該使用人の代理権に制限を加えることはできるが（商25 II）、当該制限は登記事項とされていない（商登規別表第1・第4参照）。

× **030**

支配人の代理権の内容は法定されており（商21 I）、この代理権に制限を加えても、その制限をもって善意の第三者に対抗することはできない（商21 III）。そして、代理権の制限は登記事項ではないから、登記をすることができない。

商人（小商人、会社及び外国会社を除く。）の支配人が、商人の許可を受けないで自ら営業を行ったときは、当該営業によって自己が得た利益の額は、商人に生じた損害の額と推定される。

物品の販売を目的とする店舗の使用人は、その店舗に在る物品の販売に関する一切の裁判上又は裁判外の行為をする権限を有する。

商人（小商人、会社及び外国会社を除く。）が、その営業所の使用人に営業所長の肩書を付与した場合には、当該商人は、当該使用人が当該営業所の営業の主任者であって代理権があると信じたことにつき過失がない第三者に対し、当該使用人が当該第三者との間で締結した当該営業所の営業に関する契約の無効を主張することができない。

031

支配人は、商人の許可を受けなければ、自己又は第三者のために
その商人の営業の部類に属する取引をすることはできない（商
23Ⅰ②）。そして、支配人が、商人の許可を得ずに、商法23条
1項2号に掲げる行為をしたときは、当該行為によって支配人又
は第三者が得た利益の額は、商人に生じた損害の額と推定する（商
23Ⅱ）。しかし、支配人が商人の許可を受けないで自ら営業を行っ
たとき（商23Ⅰ①）には、商法23条2項の適用はない。

物品の販売等を目的とする店舗の使用人は、相手方が悪意の場合
を除き、その店舗に在る物品の販売等をする権限を有するものと
みなされるが（商26）、支配人と異なり、商人に代わってその営
業に関する一切の裁判上又は裁判外の行為をする権限を有するわ
けではない（商21参照）。

商人の営業所の営業の主任者であることを示す名称を付した使用
人は、相手方が悪意であったときを除き、当該営業所の営業に関
し、一切の裁判外の行為をする権限を有するものとみなす（商
24）。したがって、商人は、使用人が営業所の営業の主任者であっ
て代理権があると信じたことにつき過失がない第三者に対し、当
該使用人が当該第三者との間で締結した当該営業所の営業に関す
る契約の無効を主張することができない。

会社法総則・商法総則・商行為

❷ 会社法総則・商法総則

事業譲渡・営業譲渡

034 □□□

営業を譲渡した商人が同一の営業を行わない旨の特約をした場合には、その特約は、その営業を譲渡した日から30年の期間内に限り、その効力を有する。

035 □□□

営業を譲り受けた商人が営業を譲渡した商人の商号を引き続き使用する場合であっても、譲渡人が、遅滞なく、譲受人が譲渡人の債務を弁済する責任を負わない旨を第三者に対して通知したときは、譲受人は、譲渡人の営業によって生じた当該第三者に対する債務を弁済する責任を負わない。

仲立・問屋

036 □□□

他人間の婚姻の媒介を行うことを業とする者は、商法上の仲立人ではない。

037 □□□

問屋は、委託者のためにした物品の販売に関し、支払を受けることができるが、仲立人は、媒介した商行為に関し、当事者のために支払を受けることはできない。ただし、別段の意思表示又は慣習はないものとする。

○ **034**

営業を譲渡した商人が同一の営業を行わない旨の特約をした場合には、その特約は、その営業を譲渡した日から30年の期間内に限り、その効力を有する（商16Ⅱ）。

× **035**

営業を譲り受けた商人が譲渡人の商号を引き続き使用する場合には、その譲受人も、譲渡人の営業によって生じた債務を弁済する責任を負う（商17Ⅰ）。しかし、営業を譲渡した後、遅滞なく、譲受人及び譲渡人から第三者に対しその旨の通知をした場合において、その通知を受けた第三者について譲受人は責任を負わない（商17Ⅱ後段）。

○ **036**

結婚は商行為には当たらない（商501・502・503Ⅰ参照）。そして、当事者双方のどちらにとっても商行為でない行為を媒介する者は、いわゆる民事仲立人であり、商法上の仲立人ではない。

○ **037**

問屋は、他人（委託者）のためにした販売により相手方に対して権利を取得する（商552Ⅰ）ため、委託者のためにした物品の販売に関し、支払を受けることができるが、仲立人は、別段の意思表示又は慣習がない限り、媒介した行為について当事者のために支払その他の給付を受けることができない（商544）。

問屋は、委託者のためにする売買契約が成立する前であっても、委託者に報酬を請求することができるが、仲立人は、媒介する商行為が成立する前に、当事者に報酬を請求することはできない。ただし、別段の意思表示又は慣習はないものとする。

問屋は、委託者のためにする売買に関し、委託者に対して善良な管理者の注意をもって事務を処理する義務を負うが、仲立人は、委託者のため商行為の成立に尽力する義務を負う場合であっても、媒介する商行為に関し、当事者に対して善良な管理者の注意をもって事務を処理する義務は負わない。ただし、別段の意思表示又は慣習はないものとする。

問屋は、委託者のためにした売買契約が成立した場合には、各当事者の氏名又は商号、行為の年月日及び契約の要領を記載した書面を作成し、署名し、又は記名押印した後に、その書面を委託者に交付する義務を負うが、仲立人は、媒介する商行為が成立した場合でも、そのような義務は負わない。ただし、別段の意思表示又は慣習はないものとする。

商法上の仲立人は、媒介した商行為について、当事者の一方の氏名又は名称をその相手方に示さなかったときは、当該相手方に対して自ら履行をする責任を負う。

× **038**

問屋と委託者との法律関係については、委任に関する規定を準用する（商552Ⅱ）から、報酬後払いの原則に従う（民648Ⅱ本文）。仲立人は、結約書の作成・交付手続が終わった後でなければ報酬を請求することができない（商550Ⅰ）から、媒介にかかる商行為が成立する前に当事者に報酬を請求することができない。

× **039**

問屋は、善良な管理者の注意義務をもって委任事務を処理しなければならない（商552Ⅱ、民644）。仲立人も、委託者のため商行為の成立に尽力する義務を負う場合、媒介する商行為に関し、当事者に対して善良な管理者の注意をもって事務を処理する義務を負う（民656・644）。

× **040**

問屋は、委託者のために物品の販売又は買入れを行ったときには遅滞なく委託者にその旨を通知すべき義務を負う（商557・27）が、通知の方式については特に規定されていない。仲立人は、媒介にかかる契約が成立した場合には、結約書を作成し、各当事者に交付する義務を負っている（商546Ⅰ）。

○ **041**

仲立人は、当事者の一方の氏名又は名称をその相手方に示さなかったときは、当該相手方に対して自ら履行をする責任を負う（商549）。

商法上の仲立人は、その媒介した見本売買において当該見本売買の一方の当事者であって媒介の委託を受けていなかったものから見本を受け取り、これを保管したときは、当該当事者に対して保管に関する報酬を請求することができる。

商法上の仲立人は、その媒介した取引の成立前に、当該取引の一方の当事者の氏名又は商号をその相手方に示さなかった場合であっても、当該取引の成立後相当の期間内に、当該当事者の氏名又は商号を当該相手方に示したときは、当該相手方に対して自ら当該取引に係る債務を履行する義務を負わない。

商法上の仲立人は、その媒介した売買契約の代金を自ら売主に支払ったときは、売主に対し、当該売買契約に基づき、売買の目的物の引渡しを請求することができる。

商法上の仲立人は、その媒介した取引の一方の当事者のみから媒介の委託を受けていた場合であっても、当該当事者の相手方に対してその報酬の半額を請求することができる。

✕ **042**

商法上の仲立人（以下本肢において「仲立人」という。）がその媒介に係る行為について見本を受け取ったときは、その行為が完了するまで、これを保管する義務を負う（商545）。この点、当該義務は法律上の当然の義務であり、仲立人は、保管に関する報酬を見本売買の当事者に請求することはできない。

✕ **043**

商法上の仲立人（以下本肢において「仲立人」という。）は、当事者の一方の氏名又は名称をその相手方に示さなかったときは、当該相手方に対して自ら履行をする責任を負う（商549）。この点、商法549条の規定は、氏名等を隠された相手方当事者を保護する趣旨で設けられたものであるから、仲立人が契約成立後になって当事者の氏名等を明らかにしたとしても、仲立人の義務は消滅しない。

✕ **044**

商法上の仲立人（以下本肢において「仲立人」という。）は、契約の当事者ではないため、その媒介した契約に係る一方当事者の義務を仲立人が代わって履行したとしても、相手方に対し、反対給付を請求する権利を有しない。

○ **045**

商法上の仲立人は、商人であるため、特約がなくとも報酬を請求することができ（商512）、当事者の一方から委託を受けたにすぎない場合であっても、当事者の双方に対し、その報酬の半額ずつを請求することができる（商550Ⅱ）。

会社法総則・商法総則・商行為

❷ 会社法総則・商法総則

場屋営業者

046 ☐☐☐

平30-35-ア

客の来集を目的とする場屋の主人が負う商法上の損害賠償の責任（以下「場屋営業者の責任」という。）に関し、場屋営業者は、客から寄託を受けた物品（貨幣、有価証券その他の高価品を除く。）の滅失については、不可抗力によるものであったことを証明しなければ、場屋営業者の責任を免れることができない。

047 ☐☐☐

平30-35-イ

客の来集を目的とする場屋の主人が負う商法上の損害賠償の責任（以下「場屋営業者の責任」という。）に関し、場屋営業者は、客が特に寄託していない物品であっても、場屋の中に携帯した物品（貨幣、有価証券その他の高価品を除く。）が、場屋営業者の使用人の不注意によって滅失したときは、場屋営業者の責任を負う。

048 ☐☐☐

平30-35-ウ

客の来集を目的とする場屋の主人が負う商法上の損害賠償の責任（以下「場屋営業者の責任」という。）に関し、場屋営業者は、客から寄託を受けた物品が滅失した場合であっても、客が場屋の中に携帯した物品につき責任を負わない旨を告示していたときは、場屋営業者の責任を免れることができる。

○ 046

場屋営業者は、客の寄託物の滅失又は損傷については、不可抗力によるものであることを証明しなければ、損害賠償責任を免れることはできない（商596Ⅰ）。

○ 047

客が寄託せずに場屋中で携帯している物品についても、場屋営業者又はその使用人の不注意によって物品が滅失又は損傷した場合は、場屋営業者は損害賠償責任を負う（商596Ⅱ）。

× 048

場屋営業者は、客に対して、単に客の携帯品の滅失又は損傷に関する損害賠償責任を負わない旨を告示した場合であっても、損害賠償責任を免れない（商596Ⅲ・Ⅱ・Ⅰ）。

会社法総則・商法総則・商行為

❷ 会社法総則・商法総則

客から寄託を受けた物品が滅失した場合に、客の来集を目的とする場屋の主人が負う商法上の損害賠償の責任（以下「場屋営業者の責任」という。）に関し、場屋営業者は、貨幣、有価証券その他の高価品については、その物品が滅失した場合であっても、客がその種類及び価額を明告してこれを場屋営業者に寄託したときを除き、場屋営業者の責任を負わない。

客から寄託を受けた物品が滅失した場合に、客の来集を目的とする場屋の主人が負う商法上の損害賠償の責任（以下「場屋営業者の責任」という。）に関し、場屋営業者の責任は、客から寄託を受けた物品が滅失した時から1年を経過したときは、時効によって消滅する。

倉庫営業者

寄託者又は倉荷証券の所持人は、倉庫営業者の営業時間内であれば、いつでも、寄託物の見本の提供を求めることができる。

○ 049

寄託品が貨幣、有価証券その他の高価品である場合には、客がその種類及び価額を明告して場屋営業者に寄託したのでない限り、場屋営業者は損害賠償の責任を負わない（商597）。

× 050

場屋営業者の損害賠償の責任（商596・597）は、場屋営業者が寄託物を返還し又は客が携帯品を持ち去った後1年を経過したときに時効によって消滅する（商598Ⅰ）。また、物品の全部滅失のときは、客が場屋を去った時から1年を経過したときに時効によって消滅する（商598Ⅰ括弧書）。

○ 051

寄託者又は倉荷証券の所持人は、倉庫営業者の営業時間内は、いつでも、寄託物の点検若しくはその見本の提供を求め、又はその保存に必要な処分をすることができる（商609）。

当事者が寄託物の保管期間を定めなかった場合には、倉庫営業者
は、やむを得ない事由があるときであっても、寄託物の入庫の日
から6か月を経過した後でなければ、その返還をすることができな
い。

倉庫営業者は、その営業の範囲内において寄託を受けた場合であっ
ても、報酬を受けないときは、自己の財産に対するのと同一の注
意をもって、寄託物を保管する義務を負うことになる。

倉庫営業者が寄託物の損傷につき悪意でなかった場合には、寄託
物の損傷についての倉庫営業者の責任に係る債権は、寄託物の出
庫の日から1年間行使しないときに、時効によって消滅する。

倉庫営業者は、寄託物の全部ではなく一部を出庫するにとどまる
場合には、出庫の割合に応じた保管料の支払を請求することはで
きない。

匿名組合

匿名組合員の出資は、営業者の財産に属する。

✕ 052

当事者が寄託物の保管期間を定めなかった場合は、倉庫営業者は、やむを得ない事由があるときを除き、寄託物の入庫の日から6か月を経過した後でなければ、その返還をすることができない（商612）。したがって、やむを得ない事由があるときは、寄託物の入庫の日から6か月を経過する前であっても、その返還をすることができる。

✕ 053

商人がその営業の範囲内において寄託を受けた場合には、報酬を受けないときであっても、善良な管理者の注意をもって、寄託物を保管しなければならない（商595）。

〇 054

寄託物の滅失又は損傷についての倉庫営業者の責任に係る債権は、倉庫営業者が寄託物の滅失又は損傷につき悪意であった場合を除き、寄託物の出庫の日から1年間行使しないときは、時効によって消滅する（商617Ⅰ・Ⅲ）。

✕ 055

倉庫営業者は、寄託物の出庫の時以後でなければ、保管料及び立替金その他寄託物に関する費用の支払を請求することができない（商611本文）。ただし、寄託物の一部を出庫するときは、出庫の割合に応じて、その支払を請求することができる（商611但書）。

〇 056

匿名組合員の出資は、営業者の財産に属する（商536Ⅰ）。

匿名組合員は、労務をその出資の目的とすることができる。

匿名組合員は、営業者の業務を執行することはできない。

匿名組合員は、重要な事由があるときは、いつでも、裁判所の許可を得て、営業者の業務及び財産の状況を検査することができる。

匿名組合契約は、匿名組合員が破産手続開始の決定を受けたことによっては終了しない。

匿名組合員は、金銭その他の財産のみをその出資の目的とすることができる（商536Ⅱ）。

○ **058**

匿名組合員は、営業者の業務を執行し、又は営業者を代表することができない（商536Ⅲ）。

○ **059**

匿名組合員は、重要な事由があるときは、いつでも、裁判所の許可を得て、営業者の業務及び財産の状況を検査することができる（商539Ⅱ）。

× **060**

匿名組合契約は、①匿名組合契約の解除、②匿名組合の目的である事業の成功又はその成功の不能、③営業者の死亡又は営業者が後見開始の審判を受けたこと、④営業者又は匿名組合員が破産手続開始の決定を受けたことにより、終了する（商540・541各号）。

会社法総則・商法総則・商行為

② 会社法総則・商法総則

《主要参考文献一覧》

＊「ジュリスト」（有斐閣）

＊「判例時報」（判例時報社）

＊「重要判例解説」（有斐閣）

＊「法律時報別冊私法判例リマークス」（日本評論社）

＊服部榮三＝星川長七編「基本法コンメンタール商法総則・商行為法〔第4版〕」
（日本評論社）

＊江頭憲治郎＝山下友信編「商法（総則・商行為）判例百選〔第5版〕」（有斐閣）

＊近藤光男著「商法総則・商行為法〔第9版〕」（有斐閣法律学叢書）

＊鈴木竹雄著「新版商行為法・保険法・海商法〔全訂第2版〕」（弘文堂）

＊弥永真生著「リーガルマインド商法総則・商行為法〔第3版〕」（有斐閣）

＊田邊光政著「商法総則・商行為法〔第4版〕」（新世社）

＊落合誠一＝大塚龍児＝山下友信著「商法Ｉ―総則・商行為〔第6版〕」（有斐
閣Ｓシリーズ）

＊神作裕之＝藤田友敬＝加藤貴仁編「会社法判例百選〔第4版〕」（有斐閣）

＊田邊光政著「会社法要説〔新版〕」（税務経理協会）

＊前田庸著「会社法入門〔第13版〕」（有斐閣）

＊宮島司著「新会社法エッセンス〔第4版補正版〕」（弘文堂）

＊弥永真生著「リーガルマインド会社法〔第15版〕」（有斐閣）

＊神田秀樹著「会社法〔第24版〕」（弘文堂）

＊江頭憲治郎著「株式会社法〔第8版〕」（有斐閣）

＊鈴木竹雄著「新版会社法〔全訂第5版〕」（弘文堂）

＊落合誠一＝神田秀樹＝近藤光男著「商法Ⅱ－会社〔第8版〕」（有斐閣Ｓシリー
ズ）

＊近藤光男著「最新株式会社法〔第9版〕」（中央経済社）

＊末永敏和編著・中村美紀子＝長坂守著「テキストブック会社法〔第3版〕」（中
央経済社）

＊長島・大野・常松法律事務所編「アドバンス会社法〔初版〕」（商事法務）

＊相沢哲編著「立案担当者による新・会社法の解説」（商事法務）

＊郡谷大輔編著「中小会社・有限会社の新・会社法」（商事法務）

＊相沢哲＝郡谷大輔＝葉玉匡美編著「論点解説新・会社法千問の道標」（商事
法務）

＊葉玉匡美編著「新・会社法100問〔第2版〕」（ダイヤモンド社）

＊松井信憲著「商業登記ハンドブック〔第4版〕」（商事法務）

＊「月刊登記情報」（きんざい）

＊奥島孝康＝落合誠一＝浜田道代編「別冊法学セミナー新基本法コンメンター
ル会社法1～3〔第2版〕」（日本評論社）

＊江頭憲治郎編「会社法コンメンタール 1、6」落合誠一編「会社法コンメンタール 8、12」山下友信編「会社法コンメンタール 4」森本滋編「会社法コンメンタール 17」（商事法務）

＊坂本三郎「一問一答平成 26 年改正会社法〔初版〕」（商事法務）

＊坂本三郎編「立案担当者による平成 26 年会社法の解説別冊商事法務 No.393」（商事法務）

＊田中亘著「会社法〔第 4 版〕」（東京大学出版会）

＊高橋美加 = 笠原武朗 = 久保大作 = 久保田安彦著「会社法〔第 3 版〕」（弘文堂）

＊竹林俊憲編著「一問一答令和元年改正会社法〔初版〕」（商事法務）

＊江頭憲治郎 = 中村直人編著「論点体系会社法 1 ～ 6 〔第 2 版〕」（第一法規）

令和7年版 司法書士 合格ゾーン ポケット判 択一過去問肢集 5 会社法・商法

2021年12月10日	第1版	第1刷発行
2024年9月30日	第4版	第1刷発行

編著者●株式会社　東京リーガルマインド
LEC総合研究所　司法書士試験部

発行所●株式会社　東京リーガルマインド
〒164-0001　東京都中野区中野4-11-10
アーバンネット中野ビル

LECコールセンター　☎ 0570-064-464
受付時間　平日9：30～19：30／土・日・祝10：00～18：00
※このナビダイヤルは通話料お客様ご負担となります。

書店様専用受注センター　TEL 048-999-7581 / FAX 048-999-7591
受付時間　平日9：00～17：00／土・日・祝休み

www.lec-jp.com/

印刷・製本●情報印刷株式会社

©2024 TOKYO LEGAL MIND K.K., Printed in Japan　　ISBN978-4-8449-6320-2

新15ヵ月合格コース

短期合格のノウハウが詰まったカリキュラム

LECが初めて司法書士試験の学習を始める方に自信をもってお勧めする講座が新15ヵ月合格コースです。司法書士受験指導40年以上の積み重ねたノウハウと、試験傾向の徹底的な分析により、これだけ受講すれば合格できるカリキュラムとなっております。司法書士試験対策は、毎年一発・短期合格を輩出してきたLECにお任せください。

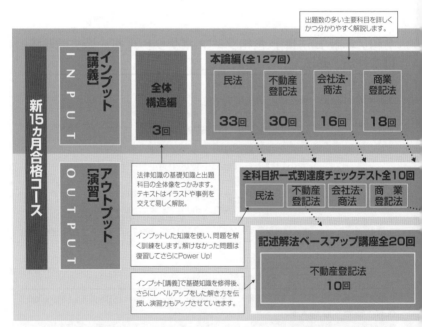

インプットとアウトプットのリンクにより短期合格を可能に！

合格に必要な力は、適切な情報収集（インプット）→知識定着（復習）→実践による知識の確立（アウトプット）という３つの段階を経て身に付くものです。新15ヵ月合格コースではインプット講座に対応したアウトプットを提供し、これにより短期合格が確実なものとなります。

本コースは全くの初学者からスタートし、司法書士試験に合格することを狙いとしています。入門から合格レベルまで、必要な情報を詳しくかつ法律の勉強が初めての方にもわかりやすく解説します。

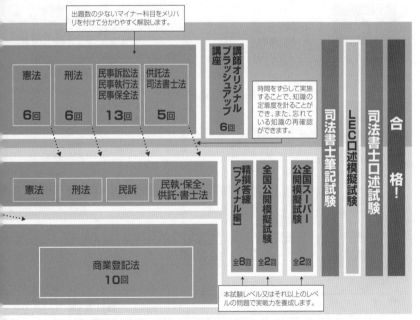

※本カリキュラムは、2024年8月1日現在のものであり、講座の内容・回数等が変更になる場合があります。予めご了承ください。

詳しくはこちら⇒ www.lec-jp.com/shoshi/

■お電話での講座に関するお問い合わせ 平日：9：30～19：30　土日祝：10：00～18：00
※このナビダイヤルは通話料お客様ご負担になります。※固定電話・携帯電話共通（一部の PHS・IP 電話からのご利用可能）。

LECコールセンター　0570-064-464

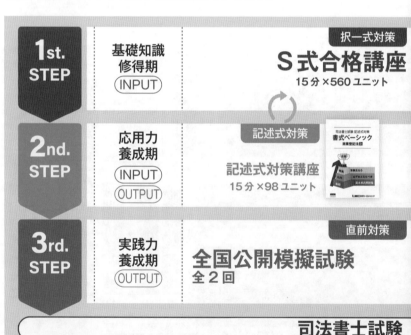

LEC 司法書士書籍ラインナップ

わかりやすい「インプット学習本」から、解説に定評のある「アウトプット学習本」まで豊富なラインナップ！！ご自身の学習進度にあわせて書籍を使い分けていくことで、効率的な学習効果を発揮することができます。

詳しくはこちら
⇒www.lec-jp.com/shoshi/book/

INPUT 合格ゾーンシリーズ

根本正次のリアル実況中継
合格ゾーンテキスト
全11巻
執筆：根本正次LEC専任講師

難関資格・司法書士試験にはじめて挑む方が、無理なく勉強を進め合格力を身につけられるよう、知識定着に欠かせない〈イメージ→理解→解ける→覚える〉の流れを、最短プロセスで辿れるよう工夫したテキスト

司法書士試験 六法

監修：根本正次LEC専任講師
　　　佐々木ひろみLEC専任講師

本試験の問題文と同じ横書きで、読みやすい2段組みのレイアウトを採用
試験合格に不可欠な39法令を厳選して収録

OUTPUT 合格ゾーンシリーズ

合格ゾーン過去問題集

択一式：全10巻
記述式：全2巻

直近の本試験問題を含む過去の司法書士試験問題を体系別に収録した、LEC定番の過去問題集

合格ゾーン過去問題集

単年度版

本試験の傾向と対策を年度別に徹底解説。受験者動向を分析した各種データも掲載

合格ゾーンポケット判
択一過去問肢集

全8巻

厳選された過去問の肢を体系別に分類。持ち運びに便利なB6判過去問肢集

合格ゾーン
当たる！直前予想模試

問題・答案用紙ともに取り外しができるLECの予想模試をついに書籍化
LEC門外不出の問題ストックから、予想問題を厳選

※本内容は2024年8月1日現在のものであり、変更になる場合があります。予めご了承ください。

LECの圧倒的な実績

司法書士受験指導歴

40年

LECは1984年からこれまで40年以上の司法書士試験指導実績から
全国で多くの合格者を輩出して参りました。

これまで培ってきた司法書士試験合格のための実績とノウハウは、
多くの司法書士受験生の支持を集めてきました。

合格者が選んだ公開模試は受験必須

令和5年度司法書士試験合格者が
LECの模試を選んだ割合

約 5人に 3人

実績の詳細についてはLEC司法書士サイトにてご確認ください。

書籍訂正情報のご案内

　平素は、LECの講座・書籍をご利用いただき、ありがとうございます。

　LECでは、司法書士受験生の皆様に正確な情報をご提供するため、書籍の制作に際しては、慎重なチェックを重ね誤りのないものを制作するよう努めております。しかし、法改正や本試験の出題傾向などの最新情報を、一刻も早く受験生に提供することが求められる受験教材の性格上、残念ながら現時点では、一部の書籍について、若干の誤りや誤字などが生じております。

　ご利用の皆様には、ご迷惑をお掛けしますことを深くお詫び申し上げます。

　書籍発行後に判明いたしました訂正情報については、以下のウェブサイトの「書籍　訂正情報」に順次掲載させていただきます。

　書籍に関する訂正情報につきましては、お手数ですが、こちらにてご確認いただければと存じます。

書籍訂正情報 ウェブサイト

https://www.lec-jp.com/shoshi/book/emend.shtml

LEC Webサイト ▷▷▷ **www.lec-jp.com/**

情報盛りだくさん！

 資格を選ぶときも，
講座を選ぶときも，
最新情報でサポートします！

最新情報
各試験の試験日程や法改正情報，対策講座，模擬試験の最新情報を日々更新しています。

資料請求
講座案内など無料でお届けいたします。

受講・受験相談
メールでのご質問を随時受付けております。

よくある質問
LECのシステムから，資格試験についてまで，よくある質問をまとめました。疑問を今すぐ解決したいなら，まずチェック！

書籍・問題集（LEC書籍部）
LECが出版している書籍・問題集・レジュメをこちらで紹介しています。

充実の動画コンテンツ！

 ガイダンスや講演会動画，
講義の無料試聴まで
Webで今すぐCheck！

動画視聴OK
パンフレットやWebサイトを見てもわかりづらいところを動画で説明。いつでもすぐに問題解決！

Web無料試聴
講座の第1回目を動画で無料試聴！気になる講義内容をすぐに確認できます。

LEC 全国学校案内

＊講座のお問合せ，受講相談は最寄りのLEC各校へ

LEC本校

北海道・東北

札　幌本校　　☎011(210)5002
〒060-0004 北海道札幌市中央区北4条西5-1　アスティ45ビル

仙　台本校　　☎022(380)7001
〒980-0022 宮城県仙台市青葉区五橋1-1-10　第二河北ビル

関東

渋谷駅前本校　　☎03(3464)5001
〒150-0043 東京都渋谷区道玄坂2-6-17　渋東シネタワー

池　袋本校　　☎03(3984)5001
〒171-0022 東京都豊島区南池袋1-25-11　第15野萩ビル

水道橋本校　　☎03(3265)5001
〒101-0061 東京都千代田区神田三崎町2-2-15　Daiwa三崎町ビル

新宿エルタワー本校　　☎03(5325)6001
〒163-1518 東京都新宿区西新宿1-6-1　新宿エルタワー

早稲田本校　　☎03(5155)5501
〒162-0045 東京都新宿区馬場下町62　三朝庵ビル

中　野本校　　☎03(5913)6005
〒164-0001 東京都中野区中野4-11-10　アーバンネット中野ビル

立　川本校　　☎042(524)5001
〒190-0012 東京都立川市曙町1-14-13　立川MKビル

町　田本校　　☎042(709)0581
〒194-0013 東京都町田市原町田4-5-8　MIキューブ町田イースト

横　浜本校　　☎045(311)5001
〒220-0004 神奈川県横浜市西区北幸2-4-3　北幸GM21ビル

千　葉本校　　☎043(222)5009
〒260-0015 千葉県千葉市中央区富士見2-3-1　塚本大千葉ビル

大　宮本校　　☎048(740)5501
〒330-0802 埼玉県さいたま市大宮区宮町1-24　大宮GSビル

東海

名古屋駅前本校　　☎052(586)5001
〒450-0002 愛知県名古屋市中村区名駅4-6-23　第三堀内ビル

静　岡本校　　☎054(255)5001
〒420-0857 静岡県静岡市葵区御幸町3-21　ペガサート

北陸

富　山本校　　☎076(443)5810
〒930-0002 富山県富山市新富町2-4-25　カーニープレイス富山

関西

梅田駅前本校　　☎06(6374)5001
〒530-0013 大阪府大阪市北区茶屋町1-27　ABC-MART梅田ビル

難波駅前本校　　☎06(6646)6911
〒556-0017 大阪府大阪市浪速区湊町1-4-1
大阪シティエアターミナルビル

京都駅前本校　　☎075(353)9531
〒600-8216 京都府京都市下京区東洞院通七条下ル2丁目
東塩小路町680-2　木村食品ビル

四条烏丸本校　　☎075(353)2531
〒600-8413　京都府京都市下京区烏丸通仏光寺下ル
大政所町680-1　第八長谷ビル

神　戸本校　　☎078(325)0511
〒650-0021 兵庫県神戸市中央区三宮町1-1-2　三宮セントラルビル

中国・四国

岡　山本校　　☎086(227)5001
〒700-0901 岡山県岡山市北区本町10-22　本町ビル

広　島本校　　☎082(511)7001
〒730-0011 広島県広島市中区基町11-13　合人社広島紙屋町アネクス

山　口本校　　☎083(921)8911
〒753-0814 山口県山口市吉敷下東 3-4-7　リアライズⅢ

高　松本校　　☎087(851)3411
〒760-0023 香川県高松市寿町2-4-20　高松センタービル

松　山本校　　☎089(961)1333
〒790-0003 愛媛県松山市三番町7-13-13　ミツネビルディング

九州・沖縄

福　岡本校　　☎092(715)5001
〒810-0001 福岡県福岡市中央区天神4-4-11　天神ショッパーズ福岡

那　覇本校　　☎098(867)5001
〒902-0067 沖縄県那覇市安里2-9-10　丸姫産業第2ビル

EYE関西

EYE 大阪本校　　☎06(7222)3655
〒530-0013　大阪府大阪市北区茶屋町1-27　ABC-MART梅田ビル

EYE 京都本校　　☎075(353)2531
〒600-8413　京都府京都市下京区烏丸通仏光寺下ル
大政所町680-1　第八長谷ビル

【LEC公式サイト】www.lec-jp.com/

スマホから簡単アクセス!

LEC提携校

＊提携校はLECとは別の経営母体が運営をしております。
＊提携校は実施講座およびサービスにおいてLECと異なる部分がございます。

■ 北海道・東北

八戸中央校【提携校】 ☎0178(47)5011
〒031-0035 青森県八戸市寺横町13 第1朋友ビル 新教育センター内

弘前校【提携校】 ☎0172(55)8831
〒036-8093 青森県弘前市城東中央1-5-2
まなびの森 弘前城東予備校内

秋田校【提携校】 ☎018(863)9341
〒010-0964 秋田県秋田市八橋鯲沼町1-60
株式会社アキタシステムマネジメント内

■ 関東

水戸校【提携校】 ☎029(297)6611
〒310-0912 茨城県水戸市見川2-3079-5

所沢校【提携校】 ☎050(6865)6996
〒359-0037 埼玉県所沢市くすのき台3-18-4 所沢RK・Sビル
合同会社LPエデュケーション内

日本橋校【提携校】 ☎03(6661)1188
〒103-0025 東京都中央区日本橋茅場町2-5-6 日本橋大江戸ビル
株式会社大江戸コンサルタント内

■ 東海

沼津校【提携校】 ☎055(928)4621
〒410-0048 静岡県沼津市新宿町3-15 萩原ビル
M-netパソコンスクール沼津校内

■ 北陸

新潟校【提携校】 ☎025(240)7781
〒950-0901 新潟県新潟市中央区弁天3-2-20 弁天501ビル
株式会社大江戸コンサルタント内

金沢校【提携校】 ☎076(237)3925
〒920-8217 石川県金沢市近岡町845-1 株式会社アイ・アイ・ピー金沢内

福井南校【提携校】 ☎0776(35)8230
〒918-8114 福井県福井市羽水2-701 株式会社ヒューマン・デザイン内

■ 関西

和歌山駅前校【提携校】 ☎073(402)2888
〒640-8342 和歌山県和歌山市友田町2-145
KEG教育センタービル 株式会社KEGキャリア・アカデミー内

■ 中国・四国

松江殿町校【提携校】 ☎0852(31)1661
〒690-0887 島根県松江市殿町517 アルファステイツ殿町
山路イングリッシュスクール内

岩国駅前校【提携校】 ☎0827(23)7424
〒740-0018 山口県岩国市麻里布町1-3-3 岡村ビル 英光学院内

新居浜駅前校【提携校】 ☎0897(32)5356
〒792-0812 愛媛県新居浜市坂井町2-3-8 パルティフジ新居浜駅前店内

■ 九州・沖縄

佐世保駅前校【提携校】 ☎0956(22)8623
〒857-0862 長崎県佐世保市白南風町5-15 智翔館内

日野校【提携校】 ☎0956(48)2239
〒858-0925 長崎県佐世保市椎木町336-1 智翔館日野校内

長崎駅前校【提携校】 ☎095(895)5917
〒850-0057 長崎県長崎市大黒町10-10 KoKoRoビル
minatoコワーキングスペース内

高原校【提携校】 ☎098(989)8009
〒904-2163 沖縄県沖縄市大里2-24-1
有限会社スキップヒューマンワーク内

※上記は2024年8月1日現在のものです。

書籍の訂正情報について

このたびは，弊社発行書籍をご購入いただき，誠にありがとうございます。
万が一誤りの箇所がございましたら，以下の方法にてご確認ください。

1 訂正情報の確認方法

書籍発行後に判明した訂正情報を順次掲載しております。
下記Webサイトよりご確認ください。

www.lec-jp.com/system/correct/

2 ご連絡方法

上記Webサイトに訂正情報の掲載がない場合は，下記Webサイトの
入力フォームよりご連絡ください。

lec.jp/system/soudan/web.html

フォームのご入力にあたりましては，「Web教材・サービスのご利用について」の
最下部の「ご質問内容」に下記事項をご記載ください。

> ・対象書籍名（○○年版，第○版の記載がある書籍は併せてご記載ください）
> ・ご指摘箇所（具体的にページ数と内容の記載をお願いいたします）

ご連絡期限は，次の改訂版の発行日までとさせていただきます。
また，改訂版を発行しない書籍は，販売終了日までとさせていただきます。

※上記「2ご連絡方法」のフォームをご利用になれない場合は，①書籍名，②発行年月日，③ご指摘箇所，を記載の上，郵送
にて下記送付先にご送付ください。確認した上で，内容理解の妨げとなる誤りについては，訂正情報として掲載させてい
ただきます。なお，郵送でご連絡いただいた場合は個別に返信しておりません。

> 送付先：〒164-0001 東京都中野区中野4-11-10 アーバンネット中野ビル
> 株式会社東京リーガルマインド 出版部 訂正情報係

・誤りの箇所のご連絡以外の書籍の内容に関する質問は受け付けておりません。
また，書籍の内容に関する解説，受験指導等は一切行っておりませんので，あらかじめ
ご了承ください。
・お電話でのお問合せは受け付けておりません。

講座・資料のお問合せ・お申込み

LECコールセンター ☎ 0570-064-464

受付時間：平日9：30～19：30/土・日・祝10：00～18：00

※このナビダイヤルの通話料はお客様のご負担となります。
※このナビダイヤルは講座のお申込みや資料のご請求に関するお問合せ専用ですので，書籍の正誤に関
するご質問をいただいた場合，上記「2ご連絡方法」のフォームをご案内させていただきます。